4주 완성 스케줄표

공부한 날		주	일	학습 내용
월 일		1주	도입	이번에 배울 내용을 알아볼까요?
			1일	100, 몇백 알아보기
월 일			2일	세 자리 수
월 일			3일	각 자리의 숫자가 나타내는 값
월 일			4일	뛰어서 세기
월 일			5일	수의 크기 비교
			평가 / 특강	누구나 100점 맞는 테스트 / 창의·융합·코딩
월 일		2주	도입	이번에 배울 내용을 알아볼까요?
			1일	일의 자리에서 받아올림이 있는 덧셈
월 일			2일	십의 자리에서 받아올림이 있는 덧셈
월 일			3일	받아내림이 있는 (두 자리 수)-(한 자리 수)
월 일			4일	받아내림이 있는 (두 자리 수)-(두 자리 수)
월 일			5일	여러 가지 방법으로 계산하기
			평가 / 특강	누구나 100점 맞는 테스트 / 창의·융합·코딩
월 일		3주	도입	이번에 배울 내용을 알아볼까요?
			1일	덧셈과 뺄셈의 관계를 식으로 나타내기
월 일			2일	덧셈식으로 나타내고 □의 값 구하기
월 일			3일	뺄셈식으로 나타내고 □의 값 구하기
월 일			4일	세 수의 덧셈, 뺄셈
월 일			5일	세 수의 계산
월 일			평가 / 특강	누구나 100점 맞는 테스트 / 창의·융합·코딩
월 일		4주	도입	이번에 배울 내용을 알아볼까요?
			1일	묶어 세기
월 일			2일	몇의 몇 배 알아보기
월 일			3일	곱셈식 알아보기
월 일			4일	곱셈식으로 나타내기
월 일			5일	가려진 그림을 보고 곱셈식으로 나타내기
			평가 / 특강	누구나 100점 맞는 테스트 / 창의·융합·코딩

공부한 날을 표시하고 하루하루 학습 내용을 살펴보세요.

Chunjae
Maketh
Chunjae

▼

기획총괄	박금옥
편집개발	지유경, 정소현, 조선영, 원희정,
	이정선, 최윤석, 김선주, 박선민
디자인총괄	김희정
표지디자인	윤순미, 안채리
내지디자인	박희춘, 이혜진
제작	황성진, 조규영

발행일	2021년 2월 1일 초판 2021년 2월 1일 1쇄
발행인	(주)천재교육
주소	서울시 금천구 가산로9길 54
신고번호	제2001-000018호
고객센터	1577-0902

똑 똑 한

하루
계산

2 A

기운과 끈기는
모든 것을 이겨낸다.
- 벤자민 플랭크린 -

주별 Contents

똑똑한 하루 계산

도입

이번에 배울 내용을 알아볼까요?

이번 주에 공부할 내용을 만화로 재미있게!

반드시 알아야 할 개념을 쉽고 재미있는 만화로 확인!

개념 완성

개념·원리 확인

쉬운 계산 원리를 만화로 쏙쏙!

계산 반복 훈련

계산 원리와 방법이 한눈에 쏙쏙!

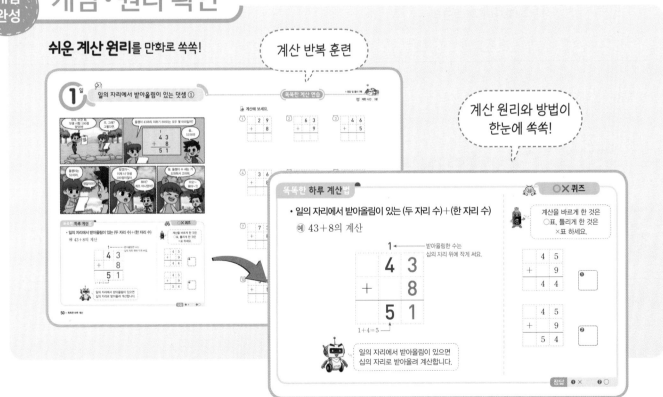

기초 집중 연습

다양한 형태의 계산 문제를 반복하여 완벽하게 익히기!

생활 속에서 필요한
계산 연습!

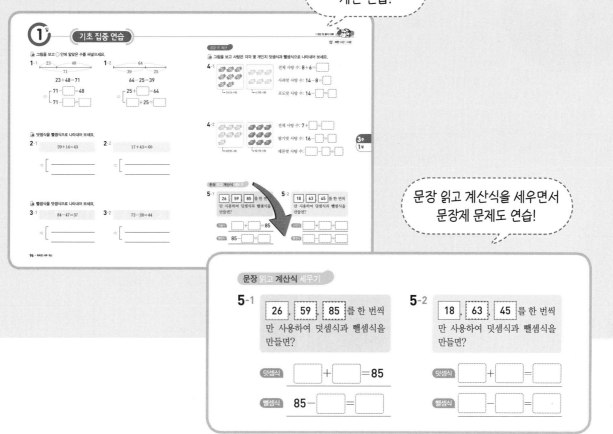

문장 읽고 계산식을 세우면서
문장제 문제도 연습!

문장 읽고 계산식 세우기

5-1 `26` `59` `85` 를 한 번씩
만 사용하여 **덧셈식**과 **뺄셈식**을
만들면?

5-2 `18` `63` `45` 를 한 번씩
만 사용하여 **덧셈식**과 **뺄셈식**을
만들면?

덧셈식 [ ] + [ ] = **85**

뺄셈식 **85** − [ ] = [ ]

덧셈식 [ ] + [ ] = [ ]

뺄셈식 [ ] − [ ] = [ ]

평가 + 창의·융합·코딩

한 주에 배운 내용을 테스트로 마무리!

빠르고 정확하게 풀어 보자!

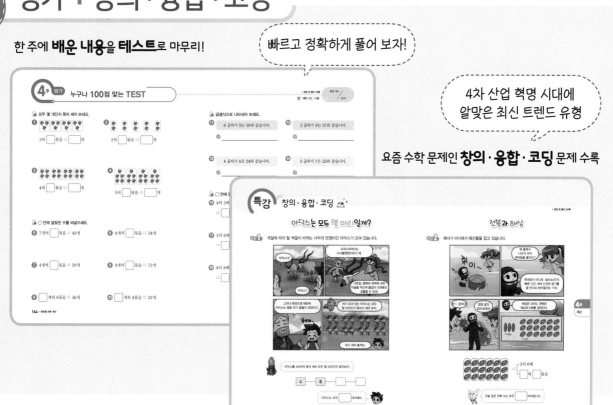

4차 산업 혁명 시대에
알맞은 최신 트렌드 유형

요즘 수학 문제인 **창의·융합·코딩** 문제 수록

1 주 세 자리 수

신령님, 도와주세요!

애들아, 무슨 소리 못 들었어?

아무 소리도 안 들렸거든? 잔꾀부리지 말고 일이나 해.

진짜 무슨 소리가 들렸어!

잠깐!

파스스

도와주세요~!

아이가 나무에서 떨어져 다쳤어요.

초록아, 어서 신령님께!

응!

앗!

긴급

초록이가 보내준 긴급 신호군!

똑똑한 하루 계산

신령님, 괜찮겠죠?

다행히 많이 다치지는 않았구나. 마법의 블루베리즙을 먹으면 금방 나을 게다.

토토, 마법의 블루베리가 얼만큼 있느냐?

10개씩 담긴 바구니가 9개 있어요.

모두 90개구나. 100개가 되려면 몇 개가 더 필요하지?

100개가 되려면…….

10개요!

그럼, 10개만 더 따오너라.

10개라고?

100은 90보다 10 큰 수 맞죠?

그렇지~.

아깝다. 내가 맞출 수 있었는데…….

쳇, 잘 몰랐으면서~.

우와~ 이제 하나도 안 아파요!

도와주셔서 감사합니다.

그럼 이제 좀 쉬어 볼까?

잠깐!

토토는 수학 공부를 좀 더 해야 하니 따라오너라.

저 혼자요?

쿡!

이번에 배울 내용을 알아볼까요? 2

1-2 100까지의 수

53

어이구-

블루베리가 오삼 개?

오십삼이라고 읽어야지.

오삼불고기 먹고 싶다.

10개씩 묶음 5개와 낱개 3개를 53이라고 합니다.

53은 오십삼 또는 쉰셋이라고 읽습니다.

□ 안에 알맞은 수를 써넣으세요.

1-1

10개씩 묶음	낱개
7	5

⇨ [　　]

1-2

10개씩 묶음	낱개
8	4

⇨ [　　]

수를 두 가지 방법으로 읽어 보세요.

2-1

69	

2-2

92	

1-2 두 수의 크기 비교

10개씩 묶음의 수가 다르면 10개씩 묶음의 수가 큰 수가 더 큽니다.
⇨ 72 > 54

10개씩 묶음의 수가 같으면 낱개의 수가 큰 수가 더 큽니다.
⇨ 61 < 63

1주 1일

🐻 더 큰 수에 ◯표 하세요.

3-1

71	67

3-2

69	83

🐻 두 수의 크기를 비교하여 ◯ 안에 >, <를 알맞게 써넣으세요.

4-1 95 ◯ 86

4-2 82 ◯ 84

4-3 65 ◯ 74

4-4 73 ◯ 71

100 알아보기

다람쥐들에게 나눠 줄 도토리가 몇 개지?

10개씩 담긴 바구니가 9개 있으니까…….

90개요!

올~ 웬일이야?

어제 신령님과 열심히 공부한 결과지.

끄덕

여기 도토리 10개 더 따왔어요~.

그럼 10개씩 10바구니이니까 십십 개!

푸하하~ 십십 개라니~.

10이 10개이면 100입니다.

10이 10개이면 100이야.

이상하다. 어제 분명히 알려줬는데…….

100이라고 한단다

눈 뜨고 잠듦

똑똑한 하루 계산법

- **100 알아보기**

  90보다 10 큰 수는 **100**입니다.

  100은 **백**이라고 읽습니다.

  10이 **10**개이면 **100**입니다.

   ⇨⇦

  십 모형 10개는 백 모형 1개와 같습니다.

○✗ 퀴즈

설명이 맞으면 ○에, 틀리면 ✗에 ○표 하세요.

90보다 10 큰 수는 91입니다.

○   ✗

똑똑한 계산 연습

🐻 100이 되도록 ☐ 안에 알맞은 수를 써넣으세요.

① 98보다 ☐ 큰 수

② 99보다 ☐ 큰 수

③ 10이 ☐ 개인 수

④ 80보다 ☐ 큰 수

⑤ 90보다 ☐ 큰 수

⑥ 10개씩 ☐ 묶음

🐻 100원이 되려면 얼마가 더 필요한지 구하세요.

⑦ ☐ 원

⑧ ☐ 원

⑨ ☐ 원

⑩ ☐ 원

⑪ ☐ 원

⑫ ☐ 원

몇백 알아보기

똑똑한 하루 계산법

• 몇백 알아보기

100이 **3**개이면 **300**입니다. 300은 **삼백**이라고 읽습니다.

• 몇백을 쓰고 읽기

100	백	200	이백	300	삼백
400	사백	500	오백	600	육백
700	칠백	800	팔백	900	구백

○✕ 퀴즈

수를 바르게 읽었으면 ○에, 틀리게 읽었으면 ✕에 ○표 하세요.

300
⇨ 셋백

 ○   ✕

정답 ✕에 ○표

똑똑한 계산 연습

🐻 수 모형이 나타내는 수를 쓰고 읽어 보세요.

①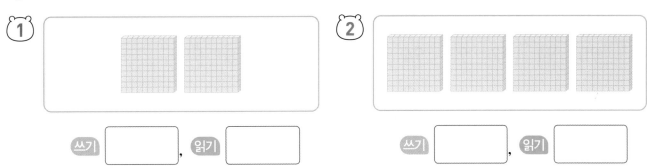

쓰기 ⬜ , 읽기 ⬜

②

쓰기 ⬜ , 읽기 ⬜

③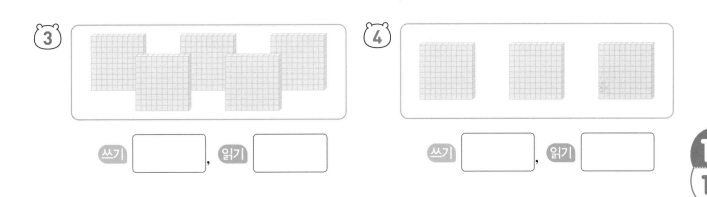

쓰기 ⬜ , 읽기 ⬜

④

쓰기 ⬜ , 읽기 ⬜

⑤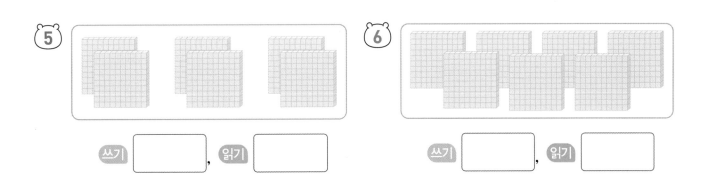

쓰기 ⬜ , 읽기 ⬜

⑥

쓰기 ⬜ , 읽기 ⬜

⑦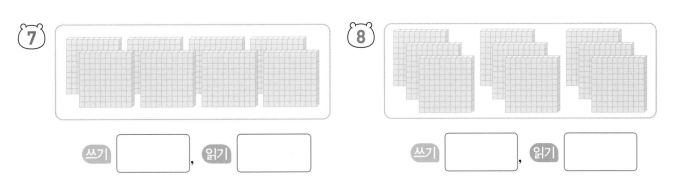

쓰기 ⬜ , 읽기 ⬜

⑧

쓰기 ⬜ , 읽기 ⬜

1주
1일

기초 집중 연습

🐻 ☐ 안에 알맞은 수를 써넣으세요.

1-1

90 91 92 93 94 95 96 97 98 99 ☐

99보다 **1** 큰 수는 ☐ 입니다.

1-2

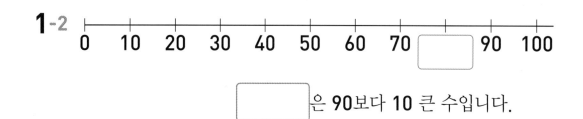

0 10 20 30 40 50 60 70 ☐ 90 100

☐ 은 **90**보다 **10** 큰 수입니다.

🐻 ☐ 안에 알맞은 수를 써넣으세요.

2-1 100이 5개이면 ☐ 입니다.　　**2**-2 100이 ☐ 개이면 **300**입니다.

2-3 100이 7개이면 ☐ 입니다.　　**2**-4 100이 ☐ 개이면 **400**입니다.

2-5 100이 9개이면 ☐ 입니다.　　**2**-6 100이 ☐ 개이면 **800**입니다.

생활 속 문제

🐻 지갑에 들어 있는 돈은 얼마인지 구하세요.

3-1

☐ 원

3-2

☐ 원

3-3

☐ 원

3-4

☐ 원

문장 읽고 문제 해결하기

4-1   백 모형이 4개인 수를 쓰고 읽으면?

쓰기 ☐ , 읽기 ☐

4-2   백 모형이 6개인 수를 쓰고 읽으면?

쓰기 ☐ , 읽기 ☐

100이 2개, 10이 4개, 1이 5개이니까 모두 245마리네!

뭐 해?

붕어 수를 조사 중인데 지난번보다 많이 줄었어. 어떻게 된 일일까?

역시 기력이 없을 때는 붕어찜이 최고지.

맞아요. 마녀님, 저렇게 많이 잡아오시다니 대단하세요.

똑똑한 하루 계산법

• 세 자리 수 알아보기

백 모형	십 모형	일 모형

백 모형이 **2**개 ┐
십 모형이 **4**개 ┤ 인 수 ⇨ 24**5**
일 모형이 **5**개 ┘

백 모형이 2개, 십 모형이 4개
일 모형이 5개이면 245입니다.

○X 퀴즈

수 모형이 나타내는
수가 맞으면 ○에,
틀리면 X에 ○표 하세요.

백 모 형	
십 모 형	⇨ 236
일 모 형	

○   X

정답 ○에 ○표

똑똑한 계산 연습

🐻 수 모형이 나타내는 수를 쓰세요.

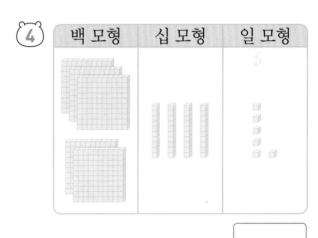

①

백 모형	십 모형	일 모형

②

백 모형	십 모형	일 모형

③

백 모형	십 모형	일 모형

④

백 모형	십 모형	일 모형

⑤

백 모형	십 모형	일 모형

⑥

백 모형	십 모형	일 모형

1주 2일

2일 세 자리 수 ②

똑똑한 하루 계산법

• 세 자리 수 쓰고 읽기

100이 **2**개, 10이 **5**개, 1이 **3**개이면 **253**입니다.
253은 **이백오십삼**이라고 읽습니다.

100이 **2**개 ┐
10이 **5**개 ┤ 인 수   쓰기 **253**   읽기 **이백오십삼**
1이 **3**개 ┘

자리의 숫자가 0이면
그 자리는 읽지 않습니다.

205
⇨ 이백영십오(×)
⇨ 이백오(○)

○✕ 퀴즈

수를 바르게
읽었으면 ○에,
틀리게 읽었으면 ✕에
○표 하세요.

320
⇨ 삼백이십영

 ○   ✕

정답 ✕에 ○표

16 • 똑똑한 하루 계산

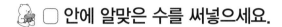

🐻 □ 안에 알맞은 수를 써넣으세요.

① 100이 3개 ⌉
  10이 5개 │이면 [   ]
  1이 7개 ⌋

② 100이 5개 ⌉
  10이 1개 │이면 [   ]
  1이 3개 ⌋

③ 100이 2개 ⌉
  10이 9개 │이면 [   ]
  1이 0개 ⌋

④ 100이 7개 ⌉
  10이 9개 │이면 [   ]
  1이 6개 ⌋

⑤ 100이 3개 ⌉
  10이 5개 │이면 [   ]
  1이 2개 ⌋

⑥ 100이 4개 ⌉
  10이 0개 │이면 [   ]
  1이 8개 ⌋

⑦ 100이 8개 ⌉
  10이 5개 │이면 [   ]
  1이 9개 ⌋

⑧ 100이 1개 ⌉
  10이 7개 │이면 [   ]
  1이 5개 ⌋

⑨ 100이 6개 ⌉
  10이 0개 │이면 [   ]
  1이 2개 ⌋

⑩ 100이 5개 ⌉
  10이 6개 │이면 [   ]
  1이 9개 ⌋

1주
2일

기초 집중 연습

🐻 수 모형이 나타내는 수를 쓰고 읽어 보세요.

1-1

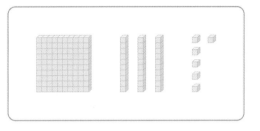

쓰기	읽기

1-2

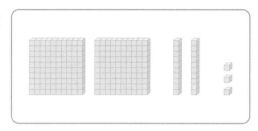

쓰기	읽기

1-3

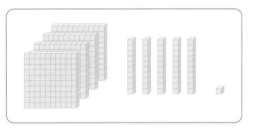

쓰기	읽기

1-4

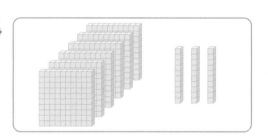

쓰기	읽기

🐻 수로 써 보세요.

2-1 오백육십일

2-2 칠백팔

2-3 육백사십

2-4 이백구십일

생활 속 문제

🐻 수수깡이 모두 몇 개인지 쓰세요.

3-1

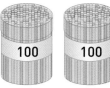

☐ 개

3-2

☐ 개

3-3

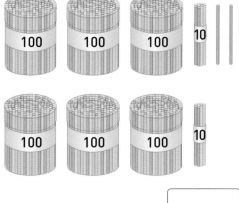

☐ 개

3-4

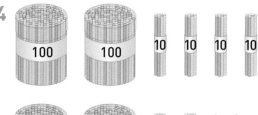

☐ 개

1주
2일

문장 읽고 문제 해결하기

4-1

100이 7개, 10이 5개, 1이 2개인 세 자리 수는?

답 _____

4-2

100이 5개, 10이 9개, 1이 3개인 세 자리 수는?

답 _____

똑똑한 하루 계산법

- 435의 각 자리의 숫자가 나타내는 값 알아보기

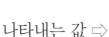

	백의 자리	십의 자리	일의 자리
각 자리의 숫자 ⇨	4	3	5
	100이 4개	10이 3개	10이 5개
나타내는 값 ⇨	400	30	5

$$435 = 400 + 30 + 5$$

세 자리 수 ■▲●는
■▲●=■00+▲0+●로
나타냅니다.

○✕ 퀴즈

설명이 맞으면 ○에,
틀리면 ✕에
○표 하세요.

627

숫자 6은 백의 자리 숫자이
고 600을 나타냅니다.

 ○   ✕

정답 ○에 ○표

🐻 빈칸에 알맞은 수를 써넣으세요.

1 245 ⇨

100이 2개	10이 4개	1이 5개
200		

$$245 = 200 + \boxed{} + \boxed{}$$

2 526 ⇨

100이 5개	10이 2개	1이 6개
	20	

$$526 = \boxed{} + 20 + \boxed{}$$

3 384 ⇨

100이 3개	10이 8개	1이 4개
		4

$$384 = \boxed{} + \boxed{} + 4$$

4 716 ⇨

100이 7개	10이 1개	1이 6개
700		

$$716 = 700 + \boxed{} + \boxed{}$$

5 951 ⇨

100이 9개	10이 5개	1이 1개
	50	

$$951 = \boxed{} + 50 + \boxed{}$$

똑똑한 하루 계산법

• 숫자 3이 나타내는 값 알아보기

347 ⇨ 300
↳ 백의 자리 숫자

532 ⇨ 30
↳ 십의 자리 숫자

683 ⇨ 3
↳ 일의 자리 숫자

숫자가 어느 자리에
있는지에 따라
나타내는 값이
달라집니다.

○✕ 퀴즈

숫자 3이 나타내는 값이
맞으면 ○에, 틀리면 ✕에
○표 하세요.

532 ⇨ 30

○   ✕

정답 ○에 ○표

똑똑한 계산 연습

🐻 밑줄 친 숫자가 나타내는 값을 쓰세요.

① 2<u>4</u>7 ⇨ [   ]

② <u>5</u>63 ⇨ [   ]

③ 18<u>9</u> ⇨ [   ]

④ <u>7</u>32 ⇨ [   ]

⑤ <u>4</u>36 ⇨ [   ]

⑥ 93<u>5</u> ⇨ [   ]

⑦ 6<u>2</u>3 ⇨ [   ]

⑧ <u>3</u>84 ⇨ [   ]

⑨ <u>4</u>15 ⇨ [   ]

⑩ 6<u>0</u>3 ⇨ [   ]

⑪ 8<u>3</u>1 ⇨ [   ]

⑫ 2<u>9</u>7 ⇨ [   ]

1주
3일

3^일 기초 집중 연습

🐻 ☐ 안에 알맞은 수를 써넣으세요.

1-1 546에서

- 5는 ☐ 을,
- 4는 ☐ 을,
- 6은 ☐ 을 나타냅니다.

1-2 327에서

- 3은 ☐ 을,
- 2는 ☐ 을,
- 7은 ☐ 을 나타냅니다.

1-3 983에서

- 9는 ☐ 을,
- 8은 ☐ 을,
- 3은 ☐ 을 나타냅니다.

1-4 765에서

- 7은 ☐ 을,
- 6은 ☐ 을,
- 5는 ☐ 를 나타냅니다.

🐻 밑줄 친 숫자는 어느 자리 숫자이고, 얼마를 나타내는지 쓰세요.

2-1 <u>2</u>39 ⇨

- ☐ 의 자리 숫자
- 나타내는 값: ☐

2-2 4<u>5</u>1 ⇨

- ☐ 의 자리 숫자
- 나타내는 값: ☐

2-3 6<u>2</u>3 ⇨

- ☐ 의 자리 숫자
- 나타내는 값: ☐

2-4 5<u>8</u>2 ⇨

- ☐ 의 자리 숫자
- 나타내는 값: ☐

생활 속 문제

□ 안에 알맞은 버스 번호를 써넣으세요.

3-1
백의 자리 숫자가
6인 버스

3-2
십의 자리 숫자가
3인 버스

3-3
일의 자리 숫자가
5인 버스

3-4
백의 자리 숫자가
1인 버스

1주
3일

문장 읽고 문제 해결하기

4-1
백의 자리 숫자가 8, 십의 자리
숫자가 6, 일의 자리 숫자가 3인
세 자리 수는?

답 _____

4-2
백의 자리 숫자가 7, 십의 자리
숫자가 5, 일의 자리 숫자가 1인
세 자리 수는?

답 _____

뛰어서 세기 ①

똑똑한 하루 계산법

• 몇씩 뛰어서 세기

100씩 | **500** – **600** – **700** – **800** – **900**

↳ 백의 자리 숫자가 1씩 커집니다.

10씩 | **950** – **960** – **970** – **980** – **990**

↳ 십의 자리 숫자가 1씩 커집니다.

1씩 | **995** – **996** – **997** – **998** – **999**

↳ 일의 자리 숫자가 1씩 커집니다.

• 1000 알아보기

999보다 1 큰 수 ⇨ 쓰기 **1000** 읽기 천

○✕ 퀴즈

100씩 바르게
뛰어서 세었으면 ○에,
아니면 ✕에
○표 하세요.

526 – **536** – **546** –

– **556** – **566** – **576**

○   ✕

정답 ✕에 ○표

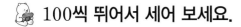 100씩 뛰어서 세어 보세요.

① 247 — 347 — 447 — ☐ — ☐ — ☐ — ☐

② 314 — 414 — ☐ — ☐ — ☐ — ☐ — ☐

③ 208 — 308 — ☐ — ☐ — ☐ — ☐ — ☐

 10씩 뛰어서 세어 보세요.

④ 514 — 524 — 534 — ☐ — ☐ — ☐ — ☐

⑤ 725 — 735 — ☐ — ☐ — ☐ — ☐ — ☐

⑥ 432 — 442 — ☐ — ☐ — ☐ — ☐ — ☐

 1씩 뛰어서 세어 보세요.

⑦ 623 — 624 — ☐ — ☐ — ☐ — ☐ — ☐

⑧ 911 — 912 — ☐ — ☐ — ☐ — ☐ — ☐

1주
4일

똑똑한 하루 계산법

• 몇씩 뛰어서 센 것인지 알아보기

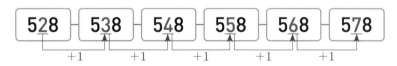

$$528 - 538 - 548 - 558 - 568 - 578$$
$$+1 \quad +1 \quad +1 \quad +1 \quad +1$$

⇨ 십의 자리 숫자가 **1**씩 커지고 있으므로
10씩 뛰어서 센 것입니다.

어느 자리 숫자가 얼만큼
변하는지 알아보면
뛰어서 세는 규칙을
알 수 있습니다.

개념 퀴즈

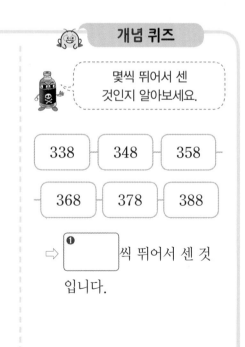

몇씩 뛰어서 센
것인지 알아보세요.

338	348	358
368	378	388

⇨ [❶   ] 씩 뛰어서 센 것
입니다.

정답 ❶ 10

똑똑한 계산 연습

📖 몇씩 뛰어서 센 것인지 알아보세요.

① 231 — 331 — 431 — 531

[ ] 씩

② 454 — 464 — 474 — 484

[ ] 씩

③ 604 — 605 — 606 — 607

[ ] 씩

④ 814 — 824 — 834 — 844

[ ] 씩

⑤ 561 — 661 — 761 — 861

[ ] 씩

⑥ 915 — 916 — 917 — 918

[ ] 씩

⑦ 385 — 485 — 585 — 685

[ ] 씩

⑧ 723 — 724 — 725 — 726

[ ] 씩

⑨ 256 — 266 — 276 — 286

[ ] 씩

⑩ 401 — 501 — 601 — 701

[ ] 씩

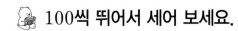
기초 집중 연습

🐻📖 100씩 뛰어서 세어 보세요.

1-1
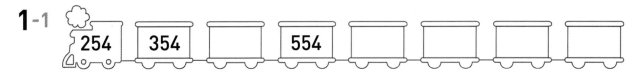

| 254 | 354 | | 554 | | | | |

1-2

| 137 | 237 | 337 | | | | | |

🐻📖 10씩 뛰어서 세어 보세요.

2-1

| 208 | 218 | | 238 | | | | |

2-2

| 426 | 436 | | 456 | | | | |

🐻📖 뛰어 세는 규칙을 찾아 ㉠에 알맞은 수를 구하세요.

3-1
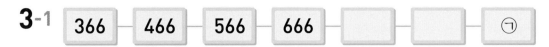

366 — 466 — 566 — 666 — ⬜ — ⬜ — ㉠

3-2

507 — 508 — 509 — 510 — ⬜ — ⬜ — ㉠

생활 속 문제

🐻 저금통에 돈을 더 넣으면 모두 얼마가 되는지 구하세요.

4-1

100원씩 5번

☐ 원

4-2

10원씩 3번

☐ 원

문장 읽고 문제 해결하기

5-1

215에서 10씩 커지게 3번 뛰어서 센 수는?

답 _____

5-2

436에서 100씩 커지게 4번 뛰어서 센 수는?

답 _____

5-3

524에서 1씩 커지게 5번 뛰어서 센 수는?

답 _____

5-4

387에서 10씩 커지게 5번 뛰어서 센 수는?

답 _____

1주
4일

수의 크기 비교 ①

제가 458이
613보다 크다잖아!

당연하지!
458이 더 큰 수야.

그…그런가?
458이 613보다 큰 거 같은데……

거봐!
내 말이 맞잖아.

잠깐, 잠깐!
왜 싸우는 거야?

아니야. 백의 자리 숫자가
클수록 큰 수이니까
613이 458보다 큰 수야.

$$458 < 613$$
4<6

근데 그게 왜 그렇게
중요했던 거야?

내가 태어난지 613일 됐고
쟤는 458일 됐거든.
너 이제 나한테 형이라고 해.

아~.

똑똑한 하루 계산법

• 두 수의 크기 비교

㉢ 백의 자리 숫자가 다른 경우

535 $>$ **3**16
5>3

 백의 자리 숫자가
큰 수가 더 커요.

㉢ 백의 자리 숫자가 같은 경우

6**2**4 $<$ 6**8**1
2<8

 백의 자리 숫자가
같으면 십의 자리 숫자가
큰 수가 더 커요.

㉢ 백, 십의 자리 숫자가 각각 같은 경우

59**6** $>$ 59**4**
6>4

 백, 십의 자리 숫자가
각각 같으면 일의 자리
숫자가 큰 수가 더 커요.

○✗ 퀴즈

 수의 크기 비교를
바르게 했으면 ○에,
틀리게 했으면 ✗에
○표 하세요.

283은 462보다
작아.

○   ✗

 두 수의 크기를 비교하여 ○ 안에 >, <를 알맞게 써넣으세요.

① 472 ◯ 753 ② 543 ◯ 291 ③ 738 ◯ 756

④ 431 ◯ 435 ⑤ 854 ◯ 856 ⑥ 325 ◯ 309

더 큰 수에 ◯표 하세요.

⑦ 673 675

⑧ 483 621

⑨ 927 926

⑩ 532 530

⑪ 258 253

⑫ 670 684

수의 크기 비교 ②

똑똑한 하루 계산법

• **세 수 524, 381, 526의 크기 비교**

① 백의 자리 숫자를 한 번에 비교합니다.

┌→ 가장 작은 수

524   **381**   526

└─ 5>3 ─┘

② 남은 두 수의 일의 자리 숫자를 비교합니다.

┌→ 가장 큰 수

52**4** (<) 52**6**

└─ 4<6 ─┘

381 < 524 < 526

가장 작은 수   가장 큰 수

○✕ 퀴즈

세 수의 크기 비교를 바르게 했으면 ○에, 틀리게 했으면 ✕에 ○표 하세요.

239 < 251 < 390

○   ✕

🐻 수의 크기를 비교하여 가장 큰 수에 ○표, 가장 작은 수에 △표 하세요.

① 233   165   436

② 351   630   400

③ 636   801   637

④ 123   132   130

⑤ 563   592   508

⑥ 342   409   513

⑦ 192   208   196

⑧ 458   452   456

⑨ 872   608   879

⑩ 708   716   713

1주 5일

🐻 그림을 보고 두 수의 크기를 비교하여 ○ 안에 >, <를 알맞게 써넣으세요.

1-1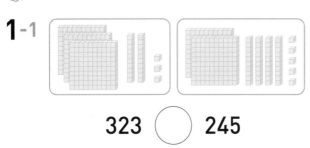

323 ◯ 245

1-2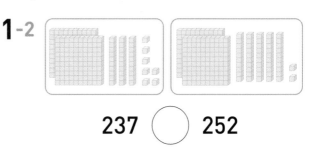

237 ◯ 252

🐻 두 수의 크기를 비교하여 ○ 안에 >, <를 알맞게 써넣으세요.

2-1 368 ◯ 246

2-2 592 ◯ 561

2-3 735 ◯ 737

2-4 624 ◯ 608

🐻 수의 크기를 비교하여 작은 수부터 차례로 쓰세요.

3-1 365　352　369

	<		<	

3-2 607　638　631

	<		<	

가격을 비교하여 ○ 안에 >, <를 알맞게 써넣으세요.

가격표

625원	540원	950원	560원	935원	860원

4-1 ○

4-2 ○

4-3 ○

4-4 ○

5-1

과일 가게에 참외가 254개, 토마토가 361개 있습니다. 참외와 토마토 중 더 많은 것은?

 ○
254개 　　　 361개

답 _____

5-2

마트에 축구공이 358개, 농구공이 382개 있습니다. 축구공과 농구공 중 더 많은 것은?

 ○
358개 　　　 382개

답 _____

1 □ 안에 알맞은 수를 써넣으세요.

(1) 100이 6개이면 [   ]입니다.

(2) 100이 4개이면 [   ]입니다.

2 수로 써 보세요.

(1) 육백삼십칠

(   )

(2) 삼백구십

(   )

3 □ 안에 알맞은 수를 써넣으세요.

100이 7개 ⎫
10이 6개 ⎬이면 [   ]
1이 2개 ⎭

4 밑줄 친 숫자는 어느 자리 숫자이고, 얼마를 나타내는지 쓰세요.

(1) 5̲83

⇨ ┌ [   ]의 자리 숫자
  └ 나타내는 값: [   ]

(2) 73̲5̲

⇨ ┌ [   ]의 자리 숫자
  └ 나타내는 값: [   ]

5 십의 자리 숫자가 8인 수에 ○표 하세요.

(1) | 805 | 482 |

(2) | 284 | 168 |

6 10씩 뛰어서 세어 보세요.

(1)
| 537 | 547 | | |

(2)
| 207 | 217 | | |

7 100씩 뛰어서 세어 보세요.

(1)
| 243 | 343 | | |

(2)
| 507 | 607 | | |

8 몇씩 뛰어서 센 것인지 알아보세요.

| 723 | 733 | 743 | 753 |

(   )씩

9 딸기 우유와 초코 우유 중 더 많은 것에
○표 하세요.

381개   347개

(   )   (   )

10 수의 크기를 비교하여 작은 수부터 차례
로 쓰세요.

(1)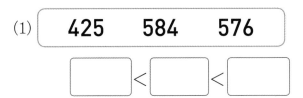
| 425 | 584 | 576 |

| | < | | < | |

(2)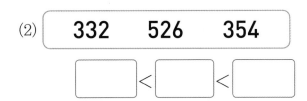
| 332 | 526 | 354 |

| | < | | < | |

제한 시간 안에 정확하게
모두 풀었다면 여러분은 진정한 **계산왕!**

1주

평가

• **39**

특강 창의·융합·코딩

누가 가장 먼저 저금할까?

 은행에서 번호표를 뽑아 먼저 온 순서로 은행 일을 봅니다.

 가장 먼저 번호표를 뽑은 친구의 이름을 써 보자.

수야	토토	초록
번호표	번호표	번호표
354	362	352

가장 작은 수가 적힌 친구가 가장 먼저 번호표를 뽑았어.

답 _____

마늘은 몇 개가 될까?

 가게에 있는 마늘은 모두 몇 개가 되었는지 알아보세요.

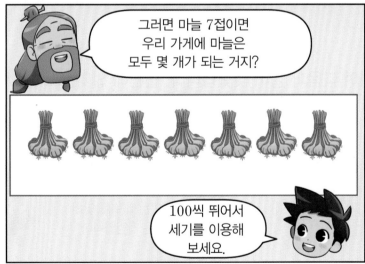

 145부터 100씩 커지게 7번 뛰어서 세기 하여 마늘이 몇 개가 되었는지 구해 보자.

| 145 | | | | | | | |

답 _____ 개

자물쇠로 잠겨 있는 상자를 열려고 합니다. 힌트를 이용하여 자물쇠의 번호를 구하세요.

힌트
백의 자리 숫자가 8,
십의 자리 숫자가 5,
일의 자리 숫자가 6인
세 자리 수입니다.

답 _____

과녁 맞히기 놀이를 하여 다음과 같이 맞혔습니다. 빈칸에 알맞은 수를 써넣고 얻은 점수는 모두 몇 점인지 구하세요.

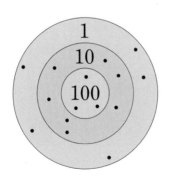

과녁 맞히기는 여러 원 모양으로 나누어져 있는 과녁을 맞혀 점수를 얻는 게임입니다.

점수	100점	10점	1점
맞힌 횟수(번)			

답 _____ 점

융합 5 우리나라에서 현재 사용되고 있는 동전의 한 면에는 인물 또는 사물이 새겨져 있습니다. 100원짜리 동전 5개, 10원짜리 동전이 14개이면 모두 얼마일까요?

→ 학   → 이순신 장군   → 벼이삭   → 다보탑

답 _____ 원

융합 6 마라톤 대회의 참가자들에게 결승선에 먼저 들어온 순서대로 1번부터 차례로 번호표를 줍니다. 네 사람 중 가장 늦게 들어온 사람이 받은 번호표의 수를 쓰세요.

답 _____

 어느 공연장의 좌석 배치도입니다. 좌석 배치도에서 수의 뛰어서 세는 규칙을 알아보세요.

무대									
101	102	103	104	105	106	107	108	109	110
201	202	203	204	**205**	**206**	**207**	**208**	**209**	210
301	302	303	304	305	306	307	308	309	310
401	402	403	404	405	406	407	408	409	410
501	502	503	504	505	506	507	508	509	510
601	602	603	㉠	605	606	607	608	609	610

창의 7 뛰어서 세는 규칙을 바르게 말한 사람의 이름을 쓰세요.

⬛의 수는 101부터 100씩 커지게 뛰어서 센 거야.

 미나

⬛의 수는 205부터 10씩 커지게 뛰어서 세었어.

형준

답 _____

창의 8 뛰어서 세는 규칙을 찾아 ㉠에 알맞은 수를 구하세요.

104 – 204 – 304 – 404 – 504 – ㉠

백의 자리 숫자가 1씩 커지고 있습니다.

규칙 [　] 씩 뛰어서 세는 규칙입니다.

답 _____

로봇이 수 카드 3장 중에서 한 장을 고른 후 블록명령에 따라 참, 거짓을 말합니다. 로봇이 고른 수 카드에 적힌 수를 쓰세요.

코딩 9

카드 고르기
읽기 카드의 수
만일 숫자 2가 나타내는 값이 20 이라면
말하기 참
아니면
말하기 거짓

254 321 682

답 _____

코딩 10

카드 고르기
읽기 카드의 수
만일 숫자 5가 나타내는 값이 500 이라면
말하기 참
아니면
말하기 거짓

562 581 925

답 _____

이번에 배울 내용을 알아볼까요?

1-2 받아올림이 없는 덧셈

고구마 72개에서 16개 더 가져왔어요.

72＋16＝88이니까 고구마는 모두 88개야.

받아올림 없는 덧셈은 엄청 빠르구만.

받아올림이 없는 경우는 10개씩 묶음끼리 더하고 낱개끼리 더해요.

세로로 식을 써서 나타낼 때 10개씩 묶음은 10개씩 묶음끼리 줄을 맞추고 낱개는 낱개끼리 줄을 맞추어 써야 해요.

🐻 덧셈을 하세요.

1-1

	5	3
+	2	1

1-2

	4	2
+	3	6

1-3

	2	3
+	4	1

1-4

	3	4
+	6	1

1-2 받아내림이 없는 뺄셈

받아내림이 없는 경우는
10개씩 묶음끼리 덜어내고
낱개끼리 덜어내서 구해요.

세로로 식을 써서 나타낼 때
10개씩 묶음은 10개씩
묶음끼리 줄을 맞추고
낱개는 낱개끼리 줄을
맞추어 써야 해요.

2주 1일

🐻 뺄셈을 하세요.

2-1

	4	8
−	1	6

2-2

	9	6
−	3	2

2-3

	8	7
−	5	4

2-4

	7	9
−	4	6

일의 자리에서 받아올림이 있는 덧셈 ①

똑똑한 하루 계산법

- 일의 자리에서 받아올림이 있는 (두 자리 수)＋(한 자리 수)

  예) 43＋8의 계산

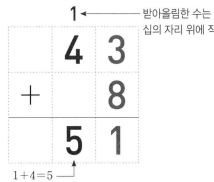

받아올림한 수는
십의 자리 위에 작게 써요.

$1+4=5$

일의 자리에서 받아올림이 있으면
십의 자리로 받아올려 계산합니다.

○✕ 퀴즈

계산을 바르게 한 것은
○표, 틀리게 한 것은
✕표 하세요.

	4	5
＋		9
	4	4

❶

	4	5
＋		9
	5	4

❷

 정답 ❶ ✕   ❷ ○

🐻 계산해 보세요.

①
```
    2 9
+     8
───────
```

②
```
    6 3
+     9
───────
```

③
```
    4 6
+     5
───────
```

④
```
    3 6
+     8
───────
```

⑤
```
    5 7
+     6
───────
```

⑥
```
    6 8
+     7
───────
```

⑦
```
    7 3
+     8
───────
```

⑧
```
    8 5
+     6
───────
```

⑨
```
    7 2
+     9
───────
```

⑩
```
    5 8
+     5
───────
```

⑪
```
    6 4
+     7
───────
```

⑫
```
    4 5
+     7
───────
```

2주
1일

일의 자리에서 받아올림이 있는 덧셈 ②

똑똑한 하루 계산법

- 일의 자리에서 받아올림이 있는 (두 자리 수)＋(두 자리 수)

  예 24＋18의 계산

```
      1 ← ─── 10을 십의 자리로 받아올림
                   하면 1이라고 적어요.
    2  4
 +  1  8
 ─────────
    4  2
```
1+2+1=4 ↗

주의

십의 자리 계산에서 받아올림하여 작게 쓴 1을 빠뜨리지 않고 계산해야 합니다.

○✕ 퀴즈

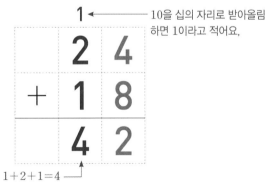

계산 결과가 54이면 ○표, 아니면 ✕표 하세요.

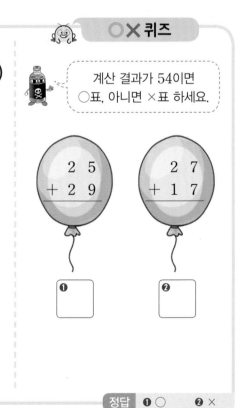

```
  2 5
+ 2 9
```
❶

```
  2 7
+ 1 7
```
❷

똑똑한 계산 연습

🐻 계산해 보세요.

①
```
   7 4
+  1 8
```

②
```
   6 8
+  1 6
```

③
```
   5 3
+  2 8
```

④
```
   6 5
+  2 7
```

⑤
```
   5 9
+  2 3
```

⑥
```
   3 4
+  1 7
```

⑦
```
   4 8
+  1 4
```

⑧
```
   5 6
+  1 7
```

⑨
```
   5 5
+  2 6
```

⑩
```
   2 7
+  1 8
```

⑪
```
   2 4
+  5 6
```

⑫
```
   2 8
+  1 9
```

2주 1일

🐻 빈칸에 두 수의 합을 써넣으세요.

1-1

57	8

1-2

26	5

1-3

58	6

1-4

33	7

🐻 빈칸에 알맞은 수를 써넣으세요.

2-1

58 → ⊂+16⊃ → ☐

2-2

52 → ⊂+29⊃ → ☐

2-3

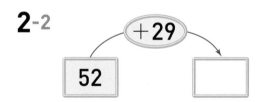

69 → ⊂+13⊃ → ☐

2-4

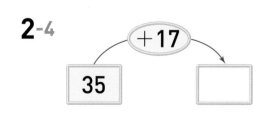

35 → ⊂+17⊃ → ☐

생활 속 계산

🐻 돈은 모두 얼마인지 ☐ 안에 알맞은 수를 써넣으세요.

3-1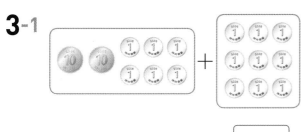

☐ 원

3-2

☐ 원

3-3

☐ 원

3-4

☐ 원

문장 읽고 계산식 세우기

4-1

감자 46개와 고구마 7개는 모두 몇 개?

식 $46 + 7 = $ ☐ (개)

4-2

바나나 39개와 사과 18개는 모두 몇 개?

식 ☐ $+$ ☐ $=$ ☐ (개)

십의 자리에서 받아올림이 있는 덧셈 ①

여기도 있다!

이렇게 생긴 버섯 100개 따오면 돼. 알았지?

100개라고 하셨지?

주머니에 버섯이 81개가 있고 24개를 더 땄으니까 모두 몇 개지?

81 + 24 = ?

81+24=105(개) 배고픈데 하나만 먹을까?

8 1
+ 2 4
1 0 5

안 돼!

그건 독버섯이야. 하나만 먹어도 일주일 동안 설사만 할걸.

뭐…뭐야?

휴~ 하마터면 일주일 동안 설사 할 뻔했네.

설마…날 걱정해준 건가?

똑똑한 하루 계산법

- 십의 자리에서 받아올림이 있는 (두 자리 수)+(두 자리 수)

  예 81+24의 계산

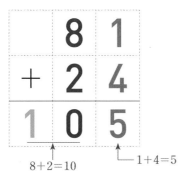

$$
\begin{array}{r}
8\ 1 \\
+\ 2\ 4 \\
\hline
1\ 0\ 5
\end{array}
$$

8+2=10   1+4=5

십의 자리에서 받아올림이 있는 경우는 받아올림한 수를 백의 자리에 써야 합니다.

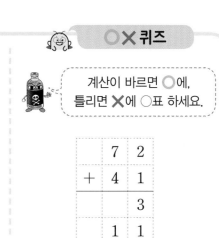

정답 ✕에 ○표

🐻 계산해 보세요.

①
```
    5 3
+   7 1
```

②
```
    2 4
+   9 0
```

③
```
    4 5
+   8 2
```

④
```
    3 2
+   9 7
```

⑤
```
    6 1
+   7 5
```

⑥
```
    5 3
+   8 1
```

⑦
```
    4 0
+   6 5
```

⑧
```
    5 2
+   7 3
```

⑨
```
    4 5
+   9 2
```

⑩
```
    6 1
+   9 1
```

⑪
```
    7 6
+   7 1
```

⑫
```
    8 3
+   6 4
```

2주
2일

똑똑한 하루 계산법

- 받아올림이 2번 있는 (두 자리 수)＋(두 자리 수)

예 18＋89의 계산

$$
\begin{array}{r}
1 \\
1\,8 \\
+\ 8\,9 \\
\hline
1\,0\,7
\end{array}
$$

1＋1＋8＝10

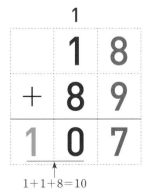

각 자리의 합이 10이거나 10보다 크면 바로 윗자리로 받아올림합니다.

○✕ 퀴즈

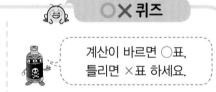

계산이 바르면 ○표, 틀리면 ✕표 하세요.

$$
\begin{array}{r}
4\,7 \\
+\ 8\,3 \\
\hline
1\,2\,0
\end{array}
$$
❶

$$
\begin{array}{r}
4\,7 \\
+\ 8\,3 \\
\hline
1\,3\,0
\end{array}
$$
❷

정답 ❶ ✕   ❷ ○

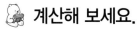 계산해 보세요.

①
```
    8 7
+   3 5
```

②
```
    2 8
+   8 3
```

③
```
    6 7
+   4 8
```

④
```
    9 7
+   5 4
```

⑤
```
    7 3
+   6 7
```

⑥
```
    6 9
+   4 5
```

⑦
```
    3 9
+   7 8
```

⑧
```
    7 5
+   4 7
```

⑨
```
    6 4
+   8 7
```

⑩
```
    8 4
+   4 6
```

⑪
```
    9 3
+   3 9
```

⑫
```
    4 7
+   8 4
```

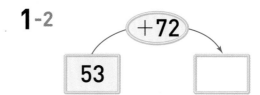

🐻 빈칸에 알맞은 수를 써넣으세요.

1-1

```
    ( +55 )
62 →      →  [    ]
```

1-2

```
    ( +72 )
53 →      →  [    ]
```

1-3

```
    ( +81 )
54 →      →  [    ]
```

1-4

```
    ( +62 )
81 →      →  [    ]
```

1-5

```
46 → +88 → [  ]
```

1-6

```
33 → +79 → [  ]
```

1-7

```
42 → +67 → [  ]
```

1-8

```
91 → +38 → [  ]
```

생활 속 계산

🐻 보기 와 같이 다트 던지기를 해서 얻은 점수를 구하세요.

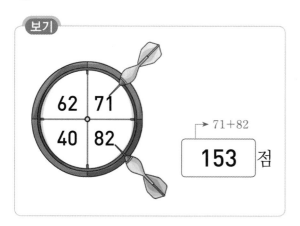

보기

62 71
40 82

→ 71+82

153 점

2-1

54 63
32 27

점

2-2

51 23
46 73

점

2-3

96 69
32 75

점

문장 읽고 계산식 세우기

3-1   52보다 71 더 큰 수는?

식   52+ ☐ = ☐

3-2   96보다 17 더 큰 수는?

식   ☐ + ☐ = ☐

3일 받아내림이 있는 (두 자리 수)−(한 자리 수) ①

까악~~!!

초록아, 왜 그래?

누가 빛나는 꽃을 꺾어 갔어!

정말?

응, 원래 20송이였는데 8송이가 사라졌어.

그럼 몇 송이가 남은 거지?

20−8 =12니까 12송이만 남았어.

	1	10
	2̷	0
−		8
	1	2

대체 누구일까?

초록이를 기쁘게 해주려고 한 건데…… 난 바보야!

똑똑한 하루 계산법

• (몇십)−(몇)의 계산

예 20−8의 계산

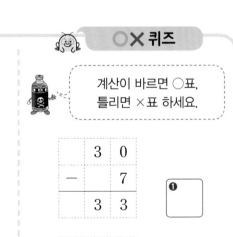

십의 자리에서 10을 받아내림해요.

	1	10
	2̷	0
−		8
	1	2

10−8=2

일의 자리 계산에서 0−8을 할 수 없으니까 10을 받아내림해서 10−8을 계산합니다.

○✕ 퀴즈

계산이 바르면 ○표, 틀리면 ✕표 하세요.

	3	0
−		7
	3	3

❶

	3	0
−		7
	2	3

❷

정답 ❶ ✕   ❷ ○

똑똑한 계산 연습

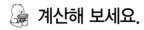 계산해 보세요.

①
```
  3 0
-   5
-----
```

②
```
  4 0
-   6
-----
```

③
```
  4 0
-   3
-----
```

④
```
  5 0
-   2
-----
```

⑤
```
  5 0
-   5
-----
```

⑥
```
  6 0
-   1
-----
```

⑦
```
  6 0
-   4
-----
```

⑧
```
  7 0
-   6
-----
```

⑨
```
  7 0
-   8
-----
```

⑩
```
  8 0
-   7
-----
```

⑪
```
  8 0
-   4
-----
```

⑫
```
  9 0
-   3
-----
```

2주
3일

받아내림이 있는 (두 자리 수)−(한 자리 수) ②

초록아, 많이 아파?

빨리 나아야 할 텐데.

산삼을 먹으면 금방 나을텐데…… 구하기가 힘들구나.

저희가 찾아볼게요!

신령님, 어떡해요? 한 뿌리도 못 찾았어요.

얘들아~.

엇! 초록아, 이제 괜찮아?

산삼 먹고 나았어~. 너희가 찾아준 줄 알았는데?

너희가 산삼 찾으러 가고 나서 누가 산삼 8개를 두고 갔더구나.

누구지?

이상하네. 분명 내가 숲속을 샅샅이 뒤져서 산삼 22뿌리를 구했는데 8뿌리가 없어지고 14뿌리만 남았네.

똑똑한 하루 계산법

○× 퀴즈

계산이 바르면 ○표, 틀리면 ×표 하세요.

• **(몇십몇)−(몇)의 계산**

  예 22−8의 계산

$$
\begin{array}{r}
\overset{1}{\cancel{2}}\ \overset{10}{2} \\
-\quad 8 \\
\hline
1\ 4
\end{array}
$$

십의 자리에서 10을 받아내림해요.

2+10−8=4

십의 자리는 받아내림하고 남은 수를 내려 적습니다.

	3	4
−		5
	3	9

❶

	3	4
−		5
	2	9

❷

똑똑한 계산 연습

 계산해 보세요.

①
```
  3 2
-   7
```

②
```
  3 3
-   6
```

③
```
  2 4
-   8
```

④
```
  4 5
-   9
```

⑤
```
  5 1
-   5
```

⑥
```
  5 4
-   5
```

⑦
```
  6 2
-   9
```

⑧
```
  7 5
-   7
```

⑨
```
  8 2
-   6
```

⑩
```
  8 4
-   7
```

⑪
```
  9 1
-   3
```

⑫
```
  7 3
-   5
```

기초 집중 연습

🐻 빈칸에 알맞은 수를 써넣으세요.

1-1

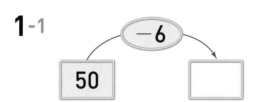

1-2

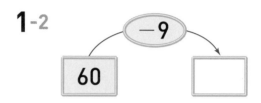

1-3

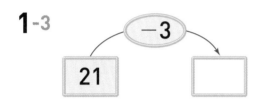

1-4

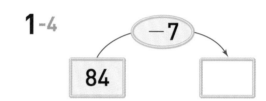

🐻 빈칸에 알맞은 수를 써넣으세요.

2-1

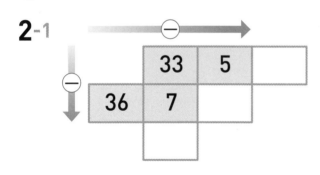

2-2

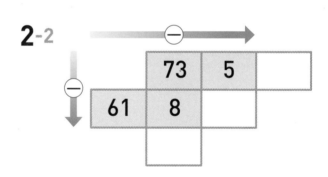

2-3

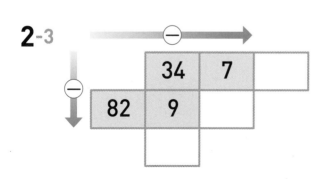

2-4

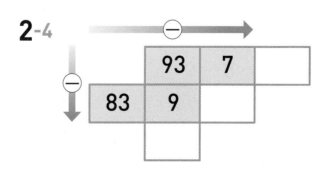

생활 속 계산

🐻 두 띠 종이의 길이의 차를 구하세요.

3-1

30 cm

8 cm

[   ] cm

3-2
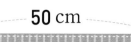
50 cm

9 cm

[   ] cm

3-3
53 cm

8 cm

[   ] cm

3-4
62 cm

9 cm

[   ] cm

문장 읽고 계산식 세우기

4-1
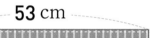
귤 20개 중에서 7개를 먹으면 남는 것은?

식 20 − 7 = [   ](개)

4-2
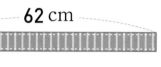
귤 31개 중에서 4개를 먹으면 남는 것은?

식 [   ] − [   ] = [   ](개)

받아내림이 있는 (두 자리 수)−(두 자리 수) ①

베어간 나무가 23그루네.

신령님, 다녀왔어요.

그래, 500살이 넘는 나무들이 몇 그루 남았지?

50그루 중에 23그루를 베어가서 27그루만 남았어요.

$$\begin{array}{r} \overset{4}{\cancel{5}} \overset{10}{0} \\ -\ 2\ 3 \\ \hline 2\ 7 \end{array}$$

나쁜 사람들!! 자연을 생각해야지! 너무하잖아.

왜 그렇게 많은 나무가 필요한 걸까?

착한 사람들도 많으니 좀 더 믿어보자꾸나.

네, 사람들이 자연을 아끼고 사랑해주면 좋겠어요.

똑똑한 하루 계산법

- **(몇십)−(몇십몇)의 계산**

  예 50−23의 계산

  $$\begin{array}{r} \overset{4}{\cancel{5}} \overset{10}{0} \\ -\ 2\ 3 \\ \hline 2\ 7 \end{array}$$

  $5-1-2=2$ $10-3=7$

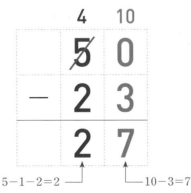

일의 자리에는 $10-3=7$이므로 7을 쓰고
십의 자리에는 $5-1-2=2$이므로 2를 씁니다.

○✕ 퀴즈

계산이 바르면 ○에, 틀리면 ✕에 ○표 하세요.

$$\begin{array}{r} 5\ 0 \\ -\ 2\ 4 \\ \hline 3\ 6 \end{array}$$

○   ✕

정답 ✕에 ○표

똑똑한 계산 연습

🐻 계산해 보세요.

①
$$\begin{array}{r} 4\ 0 \\ -\ 1\ 2 \\ \hline \end{array}$$

②
$$\begin{array}{r} 4\ 0 \\ -\ 1\ 7 \\ \hline \end{array}$$

③
$$\begin{array}{r} 3\ 0 \\ -\ 1\ 3 \\ \hline \end{array}$$

④
$$\begin{array}{r} 5\ 0 \\ -\ 1\ 6 \\ \hline \end{array}$$

⑤
$$\begin{array}{r} 5\ 0 \\ -\ 2\ 4 \\ \hline \end{array}$$

⑥
$$\begin{array}{r} 6\ 0 \\ -\ 2\ 7 \\ \hline \end{array}$$

⑦
$$\begin{array}{r} 6\ 0 \\ -\ 3\ 9 \\ \hline \end{array}$$

⑧
$$\begin{array}{r} 7\ 0 \\ -\ 3\ 5 \\ \hline \end{array}$$

⑨
$$\begin{array}{r} 7\ 0 \\ -\ 4\ 1 \\ \hline \end{array}$$

⑩
$$\begin{array}{r} 8\ 0 \\ -\ 1\ 8 \\ \hline \end{array}$$

⑪
$$\begin{array}{r} 8\ 0 \\ -\ 4\ 9 \\ \hline \end{array}$$

⑫
$$\begin{array}{r} 9\ 0 \\ -\ 5\ 3 \\ \hline \end{array}$$

2주
4일

받아내림이 있는 (두 자리 수)−(두 자리 수) ②

똑똑한 하루 계산법

- **(몇십몇)−(몇십몇)의 계산**

  예 52−27의 계산

$$\begin{array}{r} \overset{4}{\cancel{5}} \; \overset{10}{2} \\ -\; 2 \; 7 \\ \hline 2 \; 5 \end{array}$$

5−1−2=2 ⟶   ⟵ 2+10−7=5

일의 자리 수끼리 뺄 수 없을 때에는
10을 받아내림해서 계산합니다.

○✗ 퀴즈

계산이 바르면 ○에,
틀리면 ✗에 ○표 하세요.

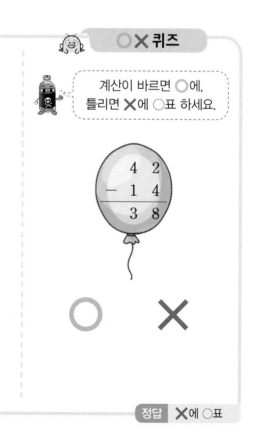

○   ✗

정답 ✗에 ○표

🐻 계산해 보세요.

①
```
    3 1
  -  1 5
```

②
```
    4 2
  -  1 7
```

③
```
    5 4
  -  3 9
```

④
```
    7 3
  -  2 5
```

⑤
```
    8 5
  -  4 9
```

⑥
```
    6 3
  -  2 7
```

⑦
```
    5 1
  -  1 2
```

⑧
```
    6 5
  -  3 7
```

⑨
```
    4 8
  -  1 9
```

⑩
```
    7 3
  -  2 6
```

⑪
```
    8 2
  -  1 3
```

⑫
```
    9 1
  -  1 7
```

기초 집중 연습

🐻 빈칸에 알맞은 수를 써넣으세요.

1-1

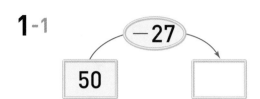

1-2

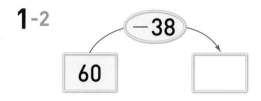

1-3

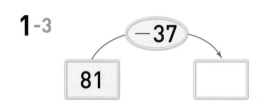

1-4

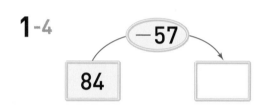

🐻 계산해 보세요.

2-1   40－24 =

     50－15 =

     80－36 =

2-2   50－29 =

     60－38 =

     70－47 =

2-3   32－19 =

     43－19 =

     51－19 =

2-4   74－18 =

     65－18 =

     56－18 =

생활 속 계산

🐻 준형이와 친구들이 넘은 줄넘기 횟수입니다. 줄넘기 횟수의 차를 구하세요.

3-1 준형 − 재호

⇨ 50 − 19 = ☐ (개)

3-2 혜은 − 지민

⇨ 71 − 28 = ☐ (개)

3-3 지민 − 재호

⇨ ☐ − ☐ = ☐ (개)

3-4 준형 − 지민

⇨ ☐ − ☐ = ☐ (개)

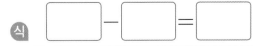

문장 읽고 계산식 세우기

4-1 72보다 55 작은 수는?

식 72 − 55 = ☐

4-2 91보다 59 작은 수는?

식 ☐ − ☐ = ☐

여러 가지 방법으로 계산하기 ①

밤을 13개 더 주워왔어.
이제 모두 몇 개야?

더해보자.

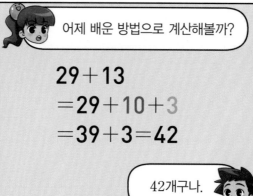

어제 배운 방법으로 계산해볼까?

$$29+13$$
$$=29+10+3$$
$$=39+3=42$$

42개구나.

원래 내 밤은
52개였는데 이상하네.

난 안먹었어.

아니야!
진짜 52개였어~.

알았어~.
내가 10개
더 줄게.

수야가 좀 이상한데?

음.

얼마 전

아, 맛있어~.
내가 몇 개
먹어둬야지.

똑똑한 하루 계산법

• 여러 가지 방법으로 덧셈하기

방법 1 $29 + 13 = 29 + \underline{10 + 3}$

$10 \quad 3$

$= 39 + 3$

29에 10을 먼저
더하고 3을 더해요

앞에서부터 차례로 계산하면
29+10=39입니다.

$= 42$

방법 2 $29 + 13 = 29 + \underline{1 + 12}$

$1 \quad 12$

$= 30 + 12$

29에 1을
먼저 더하고
12를 더해요.

29에 1을 더해
30을 만들어요.

$= 42$

○✕ 퀴즈

계산이 바르면 ○에,
틀리면 ✕에 ○표 하세요.

$$37+14=37+10-4$$
$$=47-4$$
$$=43$$

○ ✕

 정답 ✕에 ○표

57+33을 두 가지 방법으로 계산하려고 합니다. □ 안에 알맞은 수를 써넣으세요.

① $57+33=57+3+30$

　　　3　30

　　$=\boxed{}+30$

　　$=\boxed{}$

② $57+33=60+33-3$

　　　60　−3

　　$=\boxed{}-3$

　　$=\boxed{}$

56+15를 두 가지 방법으로 계산하려고 합니다. □ 안에 알맞은 수를 써넣으세요.

③ $56+15=56+10+5$

　　　10　5

　　$=\boxed{}+5$

　　$=\boxed{}$

④ $56+15=60+15-4$

　　　60　−4

　　$=\boxed{}-4$

　　$=\boxed{}$

48+23을 두 가지 방법으로 계산하려고 합니다. □ 안에 알맞은 수를 써넣으세요.

⑤ $48+23=48+20+3$

　　　20　3

　　$=\boxed{}+3$

　　$=\boxed{}$

⑥ $48+23=48+2+21$

　　　2　21

　　$=\boxed{}+21$

　　$=\boxed{}$

27+16을 두 가지 방법으로 계산하려고 합니다. □ 안에 알맞은 수를 써넣으세요.

⑦ $27+16=27+10+6$

　　　10　6

　　$=\boxed{}+6$

　　$=\boxed{}$

⑧ $27+16=27+3+13$

　　　3　13

　　$=\boxed{}+13$

　　$=\boxed{}$

2주
5일

여러 가지 방법으로 계산하기 ②

누구야?!

툴툴이가 우리 마을의 블루베리를 몰래 따고 있었어.

툴툴아, 혹시 누가 아파?

마녀님이 실수로 독버섯을 드셨어.

그랬구나. 이 블루베리 가져가~.

그래도 돼?

원래 블루베리가 72개 있었는데 내가 28개 가져가면 44개가 남아.

44개면 충분해.

$$72-28$$
$$=72-30+2$$
$$=42+2=44$$

내가 도와줄게. 가자.

고마워. 흑.

똑똑한 하루 계산법

• 여러 가지 방법으로 뺄셈하기

방법 1 $72-28=72-30+2$

$$\underset{-30 \quad +2}{} = 42+2$$

30을 뺐으니까 2를 더해요.

$$=44$$

앞에서부터 차례로 계산하면 $72-30=42$입니다.

방법 2 $72-28=72-2-26$

$$\underset{-2 \quad -26}{} = 70-26$$

2를 먼저 빼고 26을 나중에 빼요.

$$=44$$

○✕ 퀴즈

계산이 바르면 ○에, 틀리면 ✕에 ○표 하세요.

$$35-19=35-5-14$$
$$=30-14$$
$$=16$$

 ○   ✕

정답 ○에 ○표

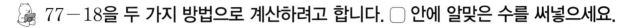

🐻 77−18을 두 가지 방법으로 계산하려고 합니다. ☐ 안에 알맞은 수를 써넣으세요.

① $77-18=77-10-8$

$\quad = \boxed{}-8$

$\quad = \boxed{}$

② $77-18=77-7-11$

$\quad = \boxed{}-11$

$\quad = \boxed{}$

🐻 55−16을 두 가지 방법으로 계산하려고 합니다. ☐ 안에 알맞은 수를 써넣으세요.

③ $55-16=55-5-11$

$\quad = \boxed{}-11$

$\quad = \boxed{}$

④ $55-16=55-20+4$

$\quad = \boxed{}+4$

$\quad = \boxed{}$

2주
5일

🐻 76−27을 두 가지 방법으로 계산하려고 합니다. ☐ 안에 알맞은 수를 써넣으세요.

⑤ $76-27=76-20-7$

$\quad = \boxed{}-7$

$\quad = \boxed{}$

⑥ $76-27=76-30+3$

$\quad = \boxed{}+3$

$\quad = \boxed{}$

🐻 84−29를 두 가지 방법으로 계산하려고 합니다. ☐ 안에 알맞은 수를 써넣으세요.

⑦ $84-29=84-30+1$

$\quad = \boxed{}+1$

$\quad = \boxed{}$

⑧ $84-29=84-4-25$

$\quad = \boxed{}-25$

$\quad = \boxed{}$

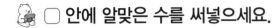

5일 기초 집중 연습

🐻 ● □ 안에 알맞은 수를 써넣으세요.

1-1   29＋45

　　＝20＋9＋□＋5

　　＝□＋14＝□

1-2   35＋27

　　＝35＋□＋7

　　＝□＋7＝□

1-3   46＋28

　　＝40＋6＋□＋8

　　＝□＋14＝□

1-4   57＋36

　　＝57＋□＋6

　　＝□＋6＝□

1-5   62－19

　　＝□－10－9

　　＝□－9＝□

1-6   78－19

　　＝78－□＋1

　　＝□＋1＝□

1-7   53－17

　　＝53－□＋3

　　＝□＋3＝□

1-8   73－28

　　＝73－□－8

　　＝□－8＝□

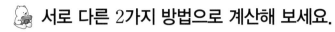

제한 시간 10분

생활 속 계산

🐻 서로 다른 2가지 방법으로 계산해 보세요.

2-1 28＋39

방법 **1**

방법 **2**

2-2 62－38

방법 **1**

방법 **2**

2주
5일

문장 읽고 문제 해결하기

3-1

49＋23에서 49에 20을 먼저 더한 후 그 결과에 3을 더해요.

49＋23

＝49＋ ☐ ＋ ☐ ＝ ☐

3-2

56＋16에서 50과 10을 더하고 6과 6을 더해서 각각의 결과를 더해요.

56＋16

＝50＋10＋6＋ ☐ ＝ ☐

3-3

64－17에서 17을 20－3으로 생각해서 계산해요.

64－17

＝64－ ☐ ＋ ☐ ＝ ☐

3-4

85－26에서 26을 30－4로 생각해서 계산해요.

85－26

＝85－ ☐ ＋ ☐ ＝ ☐

🐻 계산해 보세요.

①
$$\begin{array}{r} 7\ 9 \\ +\quad 5 \\ \hline \end{array}$$

②
$$\begin{array}{r} 2\ 8 \\ +\quad 3 \\ \hline \end{array}$$

③
$$\begin{array}{r} 2\ 7 \\ +\ 5\ 4 \\ \hline \end{array}$$

④
$$\begin{array}{r} 4\ 5 \\ +\ 1\ 9 \\ \hline \end{array}$$

⑤
$$\begin{array}{r} 6\ 6 \\ +\ 8\ 2 \\ \hline \end{array}$$

⑥
$$\begin{array}{r} 4\ 9 \\ +\ 7\ 5 \\ \hline \end{array}$$

⑦
$$\begin{array}{r} 2\ 4 \\ -\quad 8 \\ \hline \end{array}$$

⑧
$$\begin{array}{r} 5\ 0 \\ -\quad 3 \\ \hline \end{array}$$

⑨
$$\begin{array}{r} 7\ 0 \\ -\ 4\ 9 \\ \hline \end{array}$$

⑩
$$\begin{array}{r} 8\ 4 \\ -\ 1\ 7 \\ \hline \end{array}$$

⑪ $82 + 8 =$

⑫ $46 + 18 =$

⑬ $32 + 95 =$

⑭ $79 + 83 =$

⑮ $34 + 48 =$

⑯ $63 + 48 =$

⑰ $40 - 3 =$

⑱ $60 - 24 =$

⑲ $35 - 19 =$

⑳ $74 - 35 =$

2주 평가

제한 시간 안에 정확하게
모두 풀었다면 여러분은 진정한 **계산왕!**

특강 창의·융합·코딩

누구의 지우개가 가장 많을까?

 지우개를 가장 많이 갖고 있는 친구의 이름을 쓰세요.

수야

$$
\begin{array}{r}
2\ 7 \\
+\quad 5 \\
\hline
\end{array}
$$

초록

$$
\begin{array}{r}
2\ 8 \\
+\ 1\ 7 \\
\hline
\end{array}
$$

토토

$$
\begin{array}{r}
5\ 1 \\
-\ 1\ 2 \\
\hline
\end{array}
$$

 따라서 지우개를 가장 많이 갖고 있는 친구는 [ ]입니다.

이 모자의 주인은 누구일까?

 창의2 친구들이 한 곳에 둔 모자에 찾기 쉽게 번호표를 붙였습니다.

 모자의 번호표의 수는 계산 결과입니다.

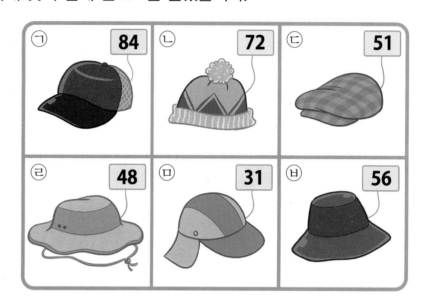

ㄱ 84 ㄴ 72 ㄷ 51
ㄹ 48 ㅁ 31 ㅂ 56

 계산 결과를 구한 후 각자 모자를 찾아 ☐ 안에 알맞은 기호를 쓰세요.

2주
특강

 내 모자에 붙인 번호표의 수는 34+17의 계산 결과야. ☐

 내 모자에 붙인 번호표의 수는 70−22의 계산 결과야. ☐

 내 모자에 붙인 번호표의 수는 83−27의 계산 결과야. ☐

 내 모자에 붙인 번호표의 수는 45+39의 계산 결과야. ☐

용합3 계산기에서 색칠된 버튼을 순서대로 한 번씩 눌렀을 때 나오는 계산 결과를 구하세요.

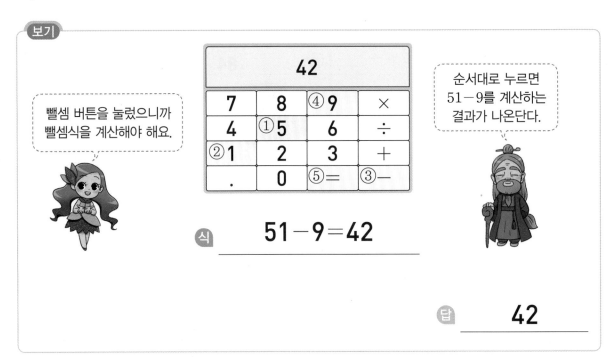

뺄셈 버튼을 눌렀으니까 뺄셈식을 계산해야 해요.

순서대로 누르면 51−9를 계산하는 결과가 나온단다.

식 51−9=42

답 42

(1)

7	8	9	×
①4	5	④6	÷
1	②2	3	+
.	0	⑤=	③−

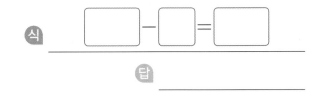

식 42 − ☐ = ☐

답

(2)

④7	8	9	×
4	5	①6	÷
②1	2	3	+
.	0	⑤=	③−

식 ☐ − ☐ = ☐

답

어느 미술관에 도둑이 들어 그림을 훔쳐갔습니다. 사건 단서 ①, ②, ③의 계산 결과에 해당하는 글자를 표에서 찾아 도둑의 이름을 쓰세요.

사건 단서①

$28+29$

사건 단서②

$18+34$

사건 단서③

$87+45$

2주

특강

도둑의 이름은 무엇일까요?

길 42	동 122	나 57
천 52	만 47	수 48
황 130	재 132	도 56

도둑의 이름은 ① [ ] ② [ ] ③ [ ] 입니다.

특강 창의·융합·코딩

 수 카드 2장이 서로 바뀌어 계산 결과가 맞지 않습니다. 바뀐 두 장의 수 카드에
✎ 표시하고 올바른 계산식을 쓰세요.

47+5=30에서 3과 5를
바꾸면 올바른 계산식이
돼요.

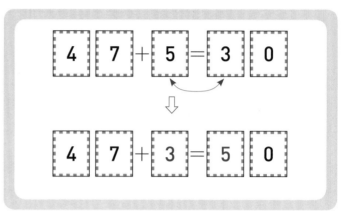

(1)
| 2 | 9 | + | 3 | = | 4 | 1 |

⬇

□ □ + □ = □ □

(2)
| 2 | 3 | − | 1 | = | 7 | 6 |

⬇

□ □ − □ = □ □

(3)
| 4 | 1 | + | 3 | = | 5 | 8 |

⬇

□ □ + □ = □ □

(4)
| 8 | 1 | − | 5 | = | 4 | 3 |

⬇

□ □ − □ = □ □

코딩 **6**   블록명령에 맞게 로봇이 움직입니다. 로봇이 도착할 때까지 지나가는 길에 있는 두 수의 차를 구하세요.

(1)

앞으로 3 칸 가기 ➡

오른쪽으로 돌기 ↴

앞으로 2 칸 가기 ➡

오른쪽으로 돌기 ↴

	35		8
🤖		41	
			7
50	5		

식   41 − ☐ = ☐

답 _____

2주 특강

(2)

앞으로 1 칸 가기 ➡

왼쪽으로 돌기 ↰

앞으로 2 칸 가기 ➡

왼쪽으로 돌기 ↰

앞으로 3 칸 가기 ➡

	🤖	62	
85			51
		7	
9			3

식   ☐ − ☐ = ☐

답 _____

똑똑한 하루 계산

이번에 배울 내용을 알아볼까요? ❷

딸기 37개에 26개를 더 따왔어. 그럼 53개 맞지?

37＋26＝63(개)야. 일의 자리 수끼리의 합이 10보다 크니까 10을 십의 자리로 받아올림해야 돼.

십의 자리 수끼리의 합이 100이거나 100보다 크면 어떻게 할까?

100을 백의 자리로 받아올림하면 돼요.

🐻 계산해 보세요.

1-1

	6	5
＋	1	7

1-2

	9	3
＋	2	4

1-3

	5	6
＋	7	4

1-4

	8	8
＋	6	5

2-1 (몇십)−(두 자리 수), (두 자리 수)−(두 자리 수)

일의 자리 수끼리
뺄 수 없으면 십의 자리에서
10을 받아내림해요.

이때 십의 자리 수가
1 작아져야 해요.

 계산해 보세요.

2-1

	6	0
−	2	3

2-2

	5	0
−	1	5

2-3

	8	1
−	1	6

2-4

	3	6
−	1	9

이 덧셈식을 보고 뺄셈식으로 나타내는 요정에겐 쿠키를 주마.

$$8 + 4 = 12$$

12－4＝8이요!

정답!

12－8＝4요!

정답!

이렇게 덧셈식을 뺄셈식으로 나타낼 수 있단다.

$$8+4=12 \begin{array}{l} 12-8=4 \\ 12-4=8 \end{array}$$

맛있다!

맛있겠다…

다음 문제도 있으니까 힘내거라.

힝..

파삭—

똑똑한 하루 계산법

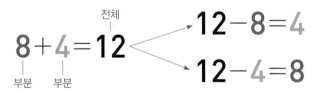

• 덧셈식을 뺄셈식으로 나타내기

전체

$$8+4=\underset{\text{부분}\ \text{부분}}{12} \begin{array}{l} 12-8=4 \\ 12-4=8 \end{array}$$

덧셈식 $8+4=12$는
뺄셈식 $12-8=4$와 $12-4=8$로
나타낼 수 있어요.

참고

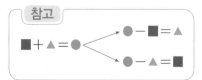

$$\blacksquare + \blacktriangle = \bullet \begin{array}{l} \bullet - \blacksquare = \blacktriangle \\ \bullet - \blacktriangle = \blacksquare \end{array}$$

개념 퀴즈

덧셈식을 보고 □ 안에 알맞은 수를 써넣으세요.

$$5+6=11$$

$$11-5=\boxed{\text{❶}}$$

$$11-6=\boxed{\text{❷}}$$

똑똑한 계산 연습

1 덧셈식을 뺄셈식으로 나타내려고 합니다. ☐ 안에 알맞은 수를 써넣으세요.

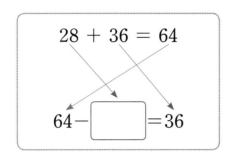

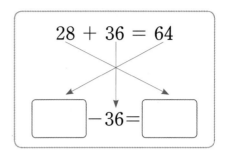

🐻 덧셈식을 뺄셈식으로 나타내어 보세요.

2 $35+47=82$

⇨ $82-35=\boxed{}$

  $82-\boxed{}=35$

3 $55+25=80$

⇨ $80-\boxed{}=25$

  $80-\boxed{}=55$

4 $16+69=85$

⇨ $85-\boxed{}=69$

  $\boxed{}-69=\boxed{}$

5 $27+14=41$

⇨ $41-\boxed{}=14$

  $\boxed{}-\boxed{}=27$

6 $54+38=92$

⇨ $92-\boxed{}=\boxed{}$

  $\boxed{}-38=\boxed{}$

7 $43+29=72$

⇨ $\boxed{}-43=\boxed{}$

  $72-\boxed{}=\boxed{}$

덧셈과 뺄셈의 관계를 식으로 나타내기 ②

똑똑한 하루 계산법

• 뺄셈식을 덧셈식으로 나타내기

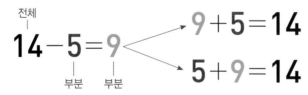

전체
$14 - 5 = 9$
부분 부분

$9 + 5 = 14$
$5 + 9 = 14$

뺄셈식 14−5=9는
덧셈식 9+5=14와 5+9=14로
나타낼 수 있어요.

참고

$\blacksquare - \blacktriangle = \bullet$ →
$\bullet + \blacktriangle = \blacksquare$
$\blacktriangle + \bullet = \blacksquare$

개념 퀴즈

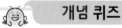

뺄셈식을 보고 ☐ 안에
알맞은 수를 써넣으세요.

$12 - 9 = 3$

$3 + 9 =$ ❶

$9 + 3 =$ ❷

정답 ❶ 12   ❷ 12

똑똑한 계산 연습

1 뺄셈식을 덧셈식으로 나타내려고 합니다. ☐ 안에 알맞은 수를 써넣으세요.

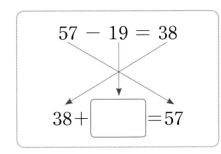

$$57 - 19 = 38$$

$$38 + \boxed{} = 57$$

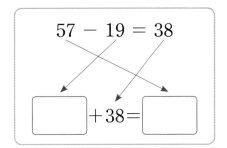

$$57 - 19 = 38$$

$$\boxed{} + 38 = \boxed{}$$

🐻 뺄셈식을 덧셈식으로 나타내어 보세요.

2

$$43 - 28 = 15$$

$$\Rightarrow \quad 15 + 28 = \boxed{}$$

$$28 + \boxed{} = 43$$

3

$$61 - 34 = 27$$

$$\Rightarrow \quad 27 + \boxed{} = 61$$

$$\boxed{} + 27 = 61$$

4

$$80 - 12 = 68$$

$$\Rightarrow \quad 68 + \boxed{} = 80$$

$$\boxed{} + 68 = \boxed{}$$

5

$$77 - 49 = 28$$

$$\Rightarrow \quad 28 + \boxed{} = 77$$

$$\boxed{} + \boxed{} = 77$$

6

$$65 - 16 = 49$$

$$\Rightarrow \quad \boxed{} + 16 = \boxed{}$$

$$16 + \boxed{} = \boxed{}$$

7

$$93 - 59 = 34$$

$$\Rightarrow \quad 34 + \boxed{} = \boxed{}$$

$$\boxed{} + \boxed{} = 93$$

3주

1일

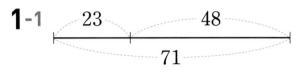

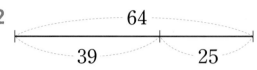

🐻 그림을 보고 ☐ 안에 알맞은 수를 써넣으세요.

1-1

23   48

71

$$23+48=71$$

⇨ $71-\boxed{}=48$

    $71-\boxed{}=\boxed{}$

1-2

64

39   25

$$64-25=39$$

⇨ $25+\boxed{}=64$

    $\boxed{}+25=\boxed{}$

🐻 덧셈식을 뺄셈식으로 나타내어 보세요.

2-1

$$29+14=43$$

⇨ _____

_____

2-2

$$17+43=60$$

⇨ _____

_____

🐻 뺄셈식을 덧셈식으로 나타내어 보세요.

3-1

$$84-47=37$$

⇨ _____

_____

3-2

$$72-28=44$$

⇨ _____

_____

제한 시간 10분

생활 속 계산

📖 그림을 보고 사탕은 각각 몇 개인지 덧셈식과 뺄셈식으로 나타내어 보세요.

4-1

↳ 포도맛 사탕

↳ 사과맛 사탕

전체 사탕 수: $8+6=$ ☐

사과맛 사탕 수: $14-8=$ ☐

포도맛 사탕 수: $14-$ ☐ $=$ ☐

4-2

↳ 레몬맛 사탕

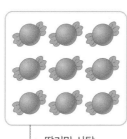
↳ 딸기맛 사탕

전체 사탕 수: $7+$ ☐ $=$ ☐

딸기맛 사탕 수: $16-$ ☐ $=$ ☐

레몬맛 사탕 수: ☐ $-$ ☐ $=$ ☐

3주
1일

문장 읽고 계산식 세우기

5-1

26 , 59 , 85 를 한 번씩만 사용하여 덧셈식과 뺄셈식을 만들면?

덧셈식 ☐ $+$ ☐ $=85$

뺄셈식 $85-$ ☐ $=$ ☐

5-2

18 , 63 , 45 를 한 번씩만 사용하여 덧셈식과 뺄셈식을 만들면?

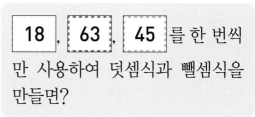
덧셈식 ☐ $+$ ☐ $=$ ☐

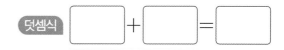
뺄셈식 ☐ $-$ ☐ $=$ ☐

덧셈식으로 나타내고 □의 값 구하기 ①

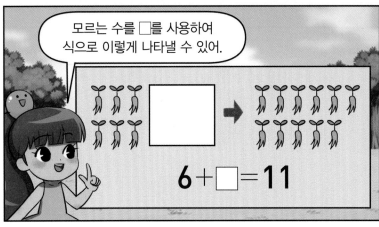

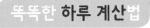 똑똑한 하루 계산법

○✕ 퀴즈

- □를 사용하여 덧셈식 만들기

$6+\square=11$

└─ 주머니 안에 있는 구슬 수

주머니 안에 있는 구슬 수처럼
모르는 수를 □, ○, △와 같은 기호로
나타낼 수 있어요.

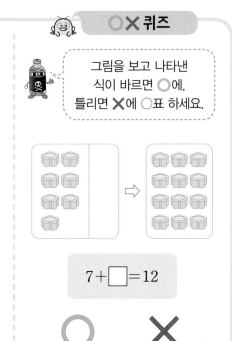
그림을 보고 나타낸
식이 바르면 ○에,
틀리면 ✕에 ○표 하세요.

$7+\square=12$

○   ✕

정답 ○에 ○표

똑똑한 계산 연습

🐻 그림을 보고 □를 사용하여 알맞은 덧셈식을 써 보세요.

①

식 _____

②

식 _____

③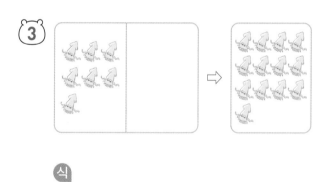

식 _____

④

식 _____

⑤

식 _____

⑥

식 _____

2일 덧셈식으로 나타내고 □의 값 구하기 ②

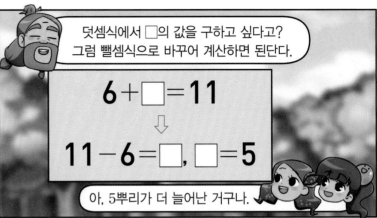

똑똑한 하루 계산법

• 덧셈식에서 □의 값 구하기

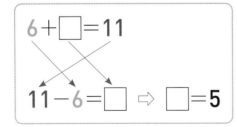

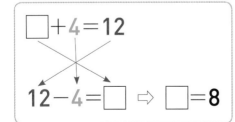

덧셈식을 뺄셈식으로
바꾸어 □의 값을
구해요.

○✕ 퀴즈

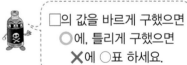

□의 값을 바르게 구했으면
○에, 틀리게 구했으면
✕에 ○표 하세요.

$$7+\square=15$$

$$15+7=\square,$$
$$\square=22$$

○   ✕

정답 ✕에 ○표

똑똑한 계산 연습

🐻 양쪽이 서로 같아지도록 빈칸에 알맞은 수만큼 ◯를 그리고, ☐ 안에 수를 써넣으세요.

①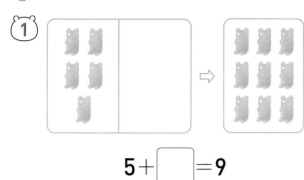

$$5 + \boxed{} = 9$$

②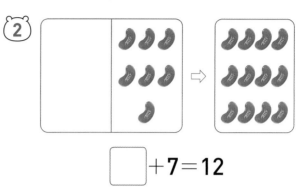

$$\boxed{} + 7 = 12$$

🐻 덧셈식에서 ●의 값을 구하려고 합니다. ☐ 안에 알맞은 수를 써넣으세요.

③ $17 + ● = 52$

⇨ $52 - 17 = ●,$

$● = \boxed{}$

④ $● + 34 = 81$

⇨ $81 - 34 = ●,$

$● = \boxed{}$

⑤ $46 + ● = 70$

⇨ $70 - \boxed{} = ●,$

$● = \boxed{}$

⑥ $● + 67 = 93$

⇨ $\boxed{} - 67 = ●,$

$● = \boxed{}$

⑦ $59 + ● = 96$

⇨ $\boxed{} - \boxed{} = ●,$

$● = \boxed{}$

⑧ $● + 16 = 82$

⇨ $\boxed{} - \boxed{} = ●,$

$● = \boxed{}$

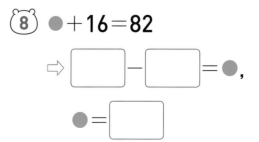

3주
2일

기초 집중 연습

🐻 그림을 보고 □를 사용하여 알맞은 덧셈식을 써 보세요.

1-1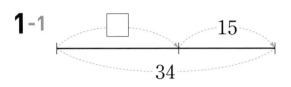

식 _____

1-2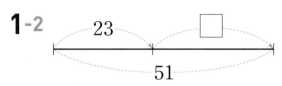

식 _____

🐻 빈칸에 알맞은 수를 써넣으세요.

2-1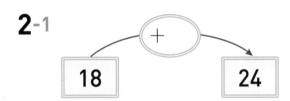

2-2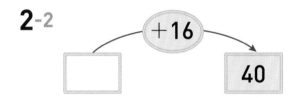

2-3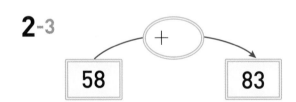

2-4

2-5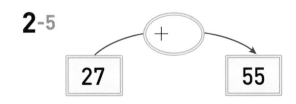

2-6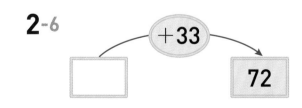

생활 속 계산

🐻 그림을 보고 □를 사용하여 덧셈식을 만들어 보세요.

3-1

> 모두 8명이 놀았어요.

식 _____

3-2

> 얘들아~ 안녕!   같이 놀자.

> 7명이 같이 놀았어요.

식 _____

문장 읽고 계산식 세우기

🐻 어떤 수를 ■로 하여 덧셈식을 만들고 어떤 수를 구하세요.

4-1   17과 어떤 수의 합은 23입니다.

식 $\boxed{} + ■ = \boxed{}$

답 _____

4-2   어떤 수와 28의 합은 44입니다.

식 _____

답 _____

툴툴이 너! 내가 아끼던 고구마 몰래 먹었지?

헉! 어떻게 아셨어요?

요즘 자꾸 내 간식이 줄어드는 느낌이어서 사진을 찍어뒀지, 자!

헐~

네가 먹은 만큼 다시 채워놔!!

네…….
몇 개 먹었더라?

뺄셈식을 세워서 몇 개 먹었는지 알아보자!

$21 - □ = 12$

그래도 다행이다. 다른 건 안 걸렸네.

냠냠
ㅋㅋㅋ

똑똑한 하루 계산법

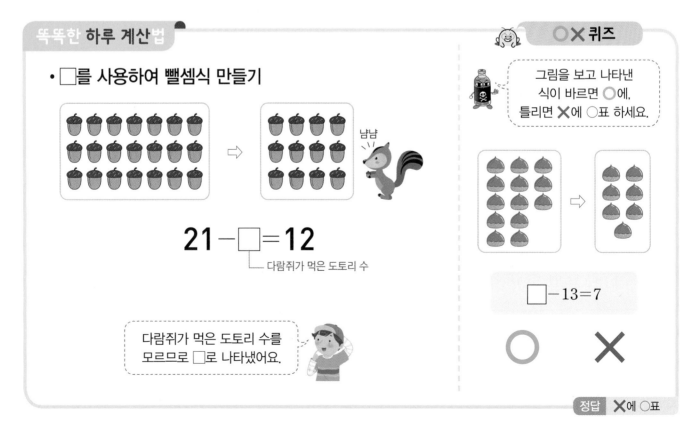

• □를 사용하여 뺄셈식 만들기

$$21 - □ = 12$$
└── 다람쥐가 먹은 도토리 수

냠냠

다람쥐가 먹은 도토리 수를 모르므로 □로 나타냈어요.

○✗ 퀴즈

그림을 보고 나타낸 식이 바르면 ○에, 틀리면 ✗에 ○표 하세요.

$$□ - 13 = 7$$

○   ✗

그림을 보고 □를 사용하여 알맞은 뺄셈식을 써 보세요.

①

식 _____

②

식 _____

③

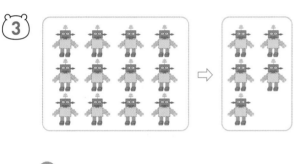

식 _____

④

식 _____

⑤

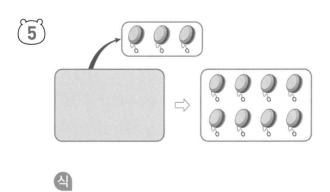

식 _____

⑥

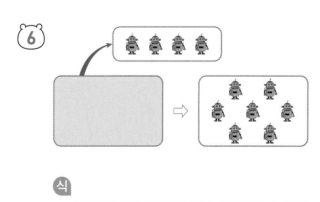

식 _____

3주
3일

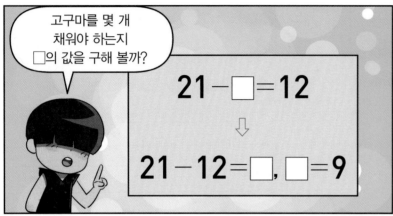

똑똑한 하루 계산법

• 뺄셈식에서 □의 값 구하기

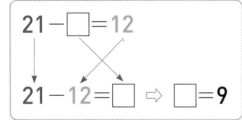

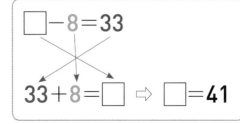

뺄셈식을 뺄셈식 또는 덧셈식으로 바꾸어 □의 값을 구해요.

○✗ 퀴즈

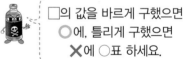

□의 값을 바르게 구했으면 ○에, 틀리게 구했으면 ✗에 ○표 하세요.

$$□ - 17 = 26$$

$$26 + 17 = □,$$
$$□ = 43$$

○　　✗

정답 ○에 ○표

🐻 양쪽이 서로 같아지도록 왼쪽 그림에서 알맞은 수만큼 /으로 지우고, ⬜ 안에 수를 써 넣으세요.

①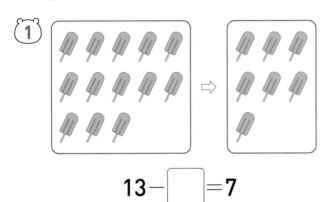

$$13 - \boxed{} = 7$$

②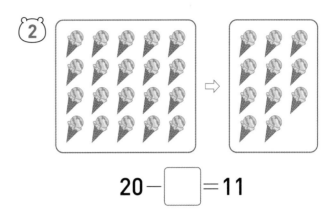

$$20 - \boxed{} = 11$$

🐻 뺄셈식에서 ●의 값을 구하려고 합니다. ⬜ 안에 알맞은 수를 써넣으세요.

③ $32 - ● = 16$

⇨ $32 - 16 = ●,$

$● = \boxed{}$

④ $● - 27 = 9$

⇨ $9 + 27 = ●,$

$● = \boxed{}$

⑤ $95 - ● = 69$

⇨ $\boxed{} - 69 = ●,$

$● = \boxed{}$

⑥ $● - 38 = 33$

⇨ $33 + \boxed{} = ●,$

$● = \boxed{}$

⑦ $70 - ● = 17$

⇨ $\boxed{} - \boxed{} = ●,$

$● = \boxed{}$

⑧ $● - 77 = 15$

⇨ $\boxed{} + \boxed{} = ●,$

$● = \boxed{}$

3주
3일

🐻 그림을 보고 □를 사용하여 알맞은 뺄셈식을 써 보세요.

1-1

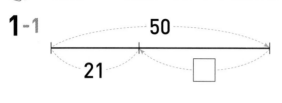

50

21　　□

식 _____

1-2

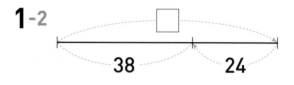

□

38　　24

식 _____

🐻 빈칸에 알맞은 수를 써넣으세요.

2-1

20 ⇨ ─ □ ⇨ 13

2-2

□ ⇨ ─ 26 ⇨ 26

2-3

46 ⇨ ─ □ ⇨ 18

2-4

□ ⇨ ─ 54 ⇨ 37

2-5

82 ⇨ ─ □ ⇨ 29

2-6

□ ⇨ ─ 16 ⇨ 45

생활 속 계산

 그림을 보고 □를 사용하여 뺄셈식을 만들어 보세요.

3-1 ⇨ | | |

연필 12자루 중 친구에게 몇 자루를 주었더니 3자루가 남았어요.

식 _____

3-2 ⇨

공책 20권 중 친구에게 몇 권을 주었더니 5권이 남았어요.

식 _____

문장 읽고 계산식 세우기

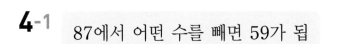 어떤 수를 ■로 하여 뺄셈식을 만들고 어떤 수를 구하세요.

4-1
87에서 어떤 수를 빼면 59가 됩니다.

식 ☐ − ■ = ☐
_____

답 _____

4-2
어떤 수에서 46을 빼면 14가 됩니다.

식 _____

답 _____

세 수의 덧셈, 뺄셈 ①

똑똑한 하루 계산법

• 세 수의 덧셈

예 $19+26+8$의 계산

방법 1 —— 앞에서부터 두 수씩 계산하기

$19+26+8=53$
45
53

세 수의 덧셈은
계산 순서가 달라도
결과는 같아요.

방법 2 —— 뒤의 두 수를 먼저 계산하기

$19+26+8=53$
34
53

○✕ 퀴즈

계산이 바르면 ○에,
틀리면 ✕에 ○표 하세요.

$24+9+7=40$
33
40

○   ✕

정답 ○에 ○표

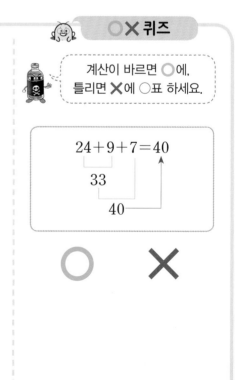

똑똑한 계산 연습

□ 안에 알맞은 수를 써넣으세요.

① 13＋15＋54＝

② 19＋5＋27＝

③ 26＋16＋48＝

④ 36＋9＋14＝

⑤ 25＋27＋8＝

⑥ 19＋32＋28＝

⑦ 37＋14＋17＝

⑧ 21＋57＋15＝

세 수의 덧셈, 뺄셈 ②

아~ 배부르다~.

깨억.

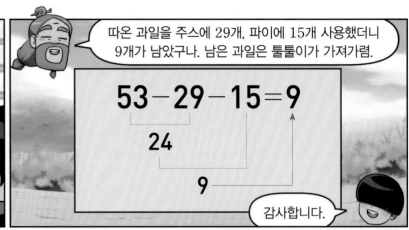

따온 과일을 주스에 29개, 파이에 15개 사용했더니 9개가 남았구나. 남은 과일은 툴툴이가 가져가렴.

$$53-29-15=9$$
24
9

감사합니다.

마녀님, 제가 맛있는 주스 만들어 드릴게요.

오, 마침 배고팠는데 잘 됐다.

헤헤

이것도 넣으면 더 건강하고 좋겠지?

풍당 풍당

이게 무슨 맛이야!!

퉤!!

똑똑한 하루 계산법

• 세 수의 뺄셈

⑩ $47-19-14$의 계산 —— 앞에서부터 차례로 계산하기

$$47-19-14=14$$
28
14

주의

세 수의 뺄셈은 계산 순서가 바뀌면 계산 결과가 달라질 수 있으므로 주의합니다.

$$47-19-14=42(\times)$$
5
42

○✕ 퀴즈

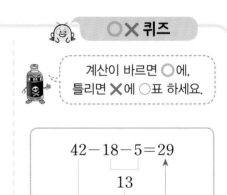

계산이 바르면 ○에, 틀리면 ✕에 ○표 하세요.

$$42-18-5=29$$
13
29

○   ✕

정답 ✕에 ○표

🐻 ☐ 안에 알맞은 수를 써넣으세요.

① 32 − 7 − 19 = ☐
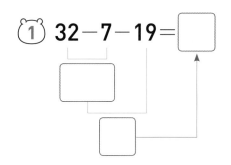

② 45 − 8 − 18 = ☐
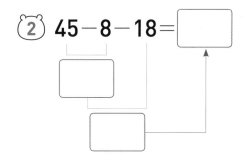

③ 50 − 16 − 27 = ☐
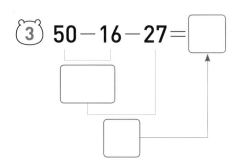

④ 81 − 24 − 29 = ☐
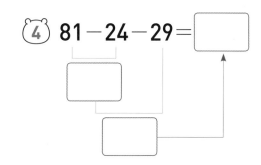

⑤ 78 − 5 − 36 = ☐

⑥ 90 − 11 − 46 = ☐
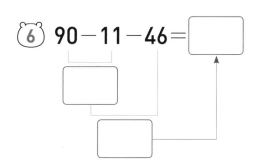

⑦ 63 − 17 − 27 = ☐

⑧ 52 − 28 − 9 = ☐
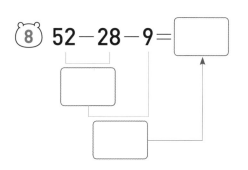

3주
4일

기초 집중 연습

□ 안에 알맞은 수를 써넣으세요.

1-1 27＋14＋43＝ □

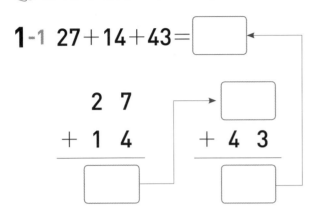

1-2 71－25－32＝ □

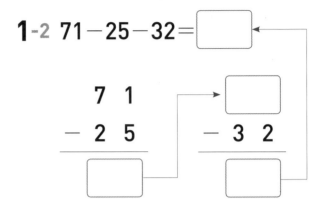

빈칸에 알맞은 수를 써넣으세요.

2-1

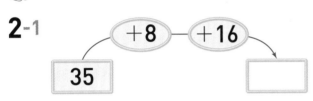

2-2

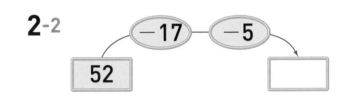

2-3

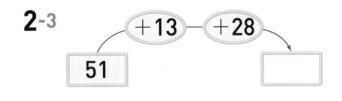

2-4

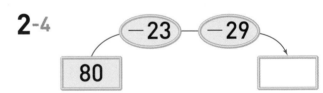

2-5

27 ＋44 ＋12 □

2-6

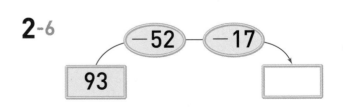

생활 속 계산

🐻 과일 가게에 있는 과일은 모두 몇 상자인지 구하세요.

3-1

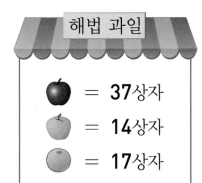

해법 과일

🍎 = **37**상자

🍏 = **14**상자

🍊 = **17**상자

🍎 + 🍏 + 🍊 = [ ] (상자)

3-2

해법 과일

🍇 = **16**상자

🫐 = **5**상자

🍑 = **24**상자

🍇 + 🫐 + 🍑 = [ ] (상자)

문장 읽고 계산식 세우기

4-1

장미 23송이, 튤립 15송이, 해바라기 8송이가 있을 때 꽃은 모두 몇 송이?

식 23＋15＋8＝[ ] (송이)

4-2

감자 17개, 양파 7개, 당근 12개가 있을 때 채소는 모두 몇 개?

식 17＋7＋[ ]＝[ ] (개)

4-3

색종이 64장 중 12장으로 종이학을, 26장으로 종이비행기를 만들면 남는 색종이는 몇 장?

식 64－12－26＝[ ] (장)

4-4

색종이 58장 중 27장으로 종이배를, 9장으로 바람개비를 만들면 남는 색종이는 몇 장?

식 58－27－[ ]＝[ ] (장)

세 수의 계산 ①

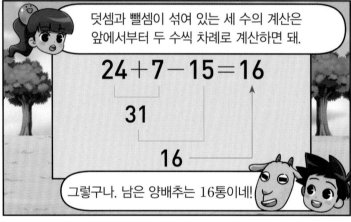

똑똑한 하루 계산법

• 세 수의 덧셈과 뺄셈

(예) 24+7-15의 계산 ── 앞에서부터 차례로 계산하기

$$24+7-15=16$$

31

16

참고

세 수의 덧셈과 뺄셈은 계산 순서가 바뀌면 뺄 수
없는 경우가 생길 수 있습니다.

24+7-15

7에서 15를
뺄 수 없습니다.

 ○✕ 퀴즈

계산이 바르면 ○에,
틀리면 ✕에 ○표 하세요.

$$12+9-15=18$$

6

18

○   ✕

정답 ✕에 ○표

🐻 □ 안에 알맞은 수를 써넣으세요.

① $33+15-9=$ □

② $47+14-23=$ □

③ $29+26-38=$ □

④ $74+8-19=$ □

⑤ $62+14-38=$ □

⑥ $24+46-18=$ □

⑦ $31+20-24=$ □

⑧ $58+13-45=$ □

3주
5일

지난 밤 내린 비로 블루베리 나무가 상했더구나. 나무를 더 심는 것이 좋겠다.

네, 알겠습니다.

뿍
뿍
뿍
뿡
뿡
뿡
쏴
아ㅡ

다 심었어요.

오, 그래?

이제 블루베리 나무는 몇 그루가 되었느냐?

블루베리 나무 32그루에서 15그루가 상했고 다시 24그루를 심어 41그루가 되었어요.

$$32-15+24=41$$
17
41

많이 따 먹을 수 있겠군~.

맛있다~

원래보다 많아졌구나.

똑똑한 하루 계산법

• 세 수의 뺄셈과 덧셈

예) $32-15+24$의 계산 — 앞에서부터 차례로 계산하기

$$32-15+24=41$$
17
41

세 수의 뺄셈과 덧셈은 앞에서부터 차례로 계산해야 해요.

○✕ 퀴즈

계산이 바르면 ○에, 틀리면 ✕에 ○표 하세요.

$$23-16+5=12$$
7
12

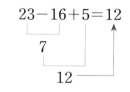 ○   ✕

🐻 □ 안에 알맞은 수를 써넣으세요.

① 24−7+13= ☐

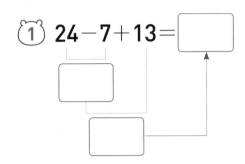

② 32−14+9= ☐

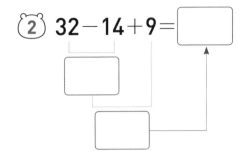

③ 52−16+25= ☐

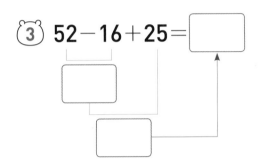

④ 70−13+38= ☐

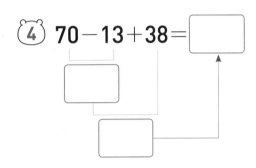

⑤ 44−8+28= ☐

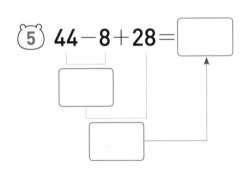

⑥ 91−28+17= ☐

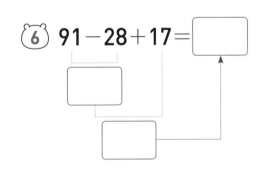

⑦ 80−55+16= ☐

⑧ 73−69+32= ☐

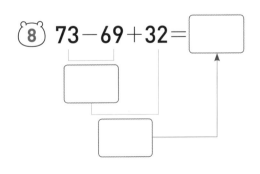

3주
5일

5일

□ 안에 알맞은 수를 써넣으세요.

1-1 73＋17－51＝ □

```
  7 3
＋ 1 7
───────
```
－ 5 1

1-2 87－32＋19＝ □

```
  8 7
－ 3 2
───────
```
＋ 1 9

빈칸에 알맞은 수를 써넣으세요.

2-1 | 37 | ＋6 | －15 |

2-2 | 70 | －24 | ＋19 |

2-3 | 56 | ＋18 | －29 |

2-4 | 48 | －11 | ＋23 |

2-5 | 22 | ＋61 | －46 |

2-6 | 95 | －57 | ＋33 |

120 • 똑똑한 하루 계산

▶정답 및 풀이 16쪽

생활 속 계산

🐻 보기와 같이 마지막 통에 남아 있는 공은 몇 개인지 구하세요.

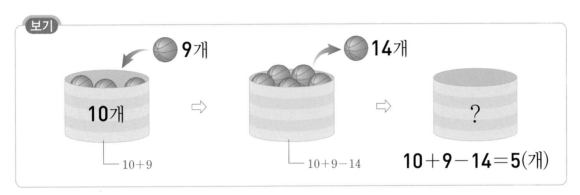

3-1

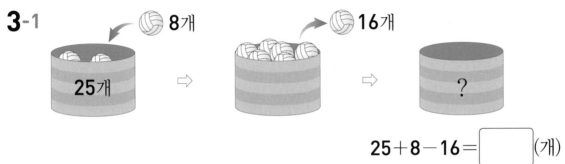

$$25 + 8 - 16 = \boxed{}(개)$$

3-2

$$17 + 13 - 5 = \boxed{}(개)$$

문장 읽고 계산식 세우기

4-1 버스에 타고 있던 24명 중 10명이 내리고 7명이 더 탔다면 지금 버스에 타고 있는 사람은 몇 명?

식 $24 - 10 + 7 = \boxed{}(명)$

4-2 버스에 타고 있던 12명 중 8명이 내리고 25명이 더 탔다면 지금 버스에 타고 있는 사람은 몇 명?

식 $12 - \boxed{} + 25 = \boxed{}(명)$

덧셈식은 뺄셈식으로, 뺄셈식은 덧셈식으로 나타내어 보세요.

① $38+7=45$

$\Rightarrow$
$45-\boxed{}=38$
$45-\boxed{}=\boxed{}$

② $29+34=63$

$\Rightarrow$
$63-\boxed{}=\boxed{}$
$\boxed{}-29=\boxed{}$

③ $50-4=46$

$\Rightarrow$
$46+\boxed{}=50$
$\boxed{}+46=\boxed{}$

④ $74-15=59$

$\Rightarrow$
$\boxed{}+15=\boxed{}$
$\boxed{}+\boxed{}=74$

□ 안에 알맞은 수를 써넣으세요.

⑤ $\boxed{}+24=40$

⑥ $37+\boxed{}=82$

⑦ $43-\boxed{}=26$

⑧ $\boxed{}-14=68$

⑨ $\boxed{}-19=53$

⑩ $95-\boxed{}=57$

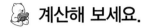 계산해 보세요.

⑪ 35－6＋29

⑫ 23＋24＋19

⑬ 31＋12－16

⑭ 73－46－15

⑮ 13＋48－7

⑯ 80－29＋14

3주

평가

⑰ 16＋58＋15

⑱ 64－18－27

⑲ 37＋4＋36

⑳ 45＋25－19

 제한 시간 안에 정확하게
모두 풀었다면 여러분은 진정한 **계산왕!**

사자 수를 구해라!

 그림일기를 보고 ☐ 안에 알맞은 수를 써넣으세요.

○월 ○일 ○요일

오늘은 부모님과 동물원에 가서 기린, 코끼리 등 여러 동물을 봤다. 그리고 사자 우리에는 사자가 21마리 있다고 해서 구경하러 갔다. 그중 내가 좋아하는 수사자는 6마리가 있었다.

 암사자는 모두 몇 마리인지 뺄셈식을 완성하고 덧셈식으로 나타내어 보세요.

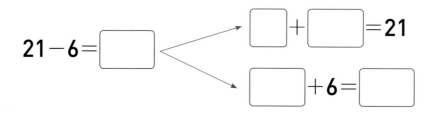

$$21 - 6 = \boxed{}$$

$$\boxed{} + \boxed{} = 21$$

$$\boxed{} + 6 = \boxed{}$$

▶ 정답 및 풀이 18쪽

인물 퀴즈!

 식을 계산하여 각각의 글자를 빈칸에 알맞게 써넣으세요.

36＋15＋8	——	임
84－21－17	——	사
45＋27－34	——	신
32－25＋61	——	당

인물 퀴즈의 정답입니다.

38	46	59	68

3주

특강

융합 3 저울의 양쪽의 값이 같도록 ☐ 안에 알맞은 수를 써넣으세요.

> 윗접시 저울은
> 양끝에 있는 접시에 물건을
> 올려 양쪽의 무게를 같게
> 재는 저울이에요.

융합 4 덩굴이나 줄기에서 자라는 토마토, 딸기, 수박 등을 채소라고 합니다. 채소는 모두 몇 개인지 구하세요.

토마토 14개   딸기 52개   수박 7개

답 _____ 개

창의5 과녁에 화살을 쏘아서 맞힌 세 수를 한 번씩만 사용하여 덧셈식과 뺄셈식을 만들어 보세요.

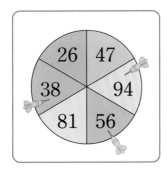

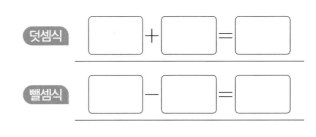

덧셈식 ☐ + ☐ = ☐

뺄셈식 ☐ − ☐ = ☐

3주
특강

창의6 사다리를 타면서 만나는 계산 방법에 따라 도착한 곳에 계산 결과를 써넣으세요.

선을 따라 내려가다가 가로로 놓인 선을 만나면 가로선을 따라 가요.

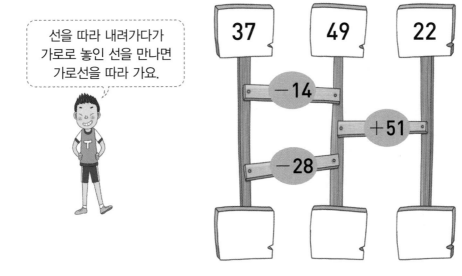

특강 창의·융합·코딩

 7 가로, 세로의 식에 알맞게 빈칸에 수를 써넣으세요.

→ 61−□=42, □=19

61	−	19	=	42
−				−
=				=
	−	6	=	28

빈칸을 □, △, ○ 등으로 하여 뺄셈식을 만들고 값을 구하면 돼요.

8 블록명령에 따라 로봇이 지나간 길에 있는 모든 수의 합을 구하세요.

시작
앞으로 4칸 가기 →
오른쪽으로 돌기 ↱
앞으로 2칸 가기 →
오른쪽으로 돌기 ↳
앞으로 3칸 가기 →

			9	
				52
		24		
85			16	

 오른쪽으로 돌기는 진행 방향을 기준으로 방향을 바꾸는 거예요.

답 _____

▶ 정답 및 풀이 18쪽

창의 **9** 주혁이네 반 학생의 현장학습 장소는 어디인지 □ 안에 알맞은 수를 따라 선을 그어 답을 구하세요.

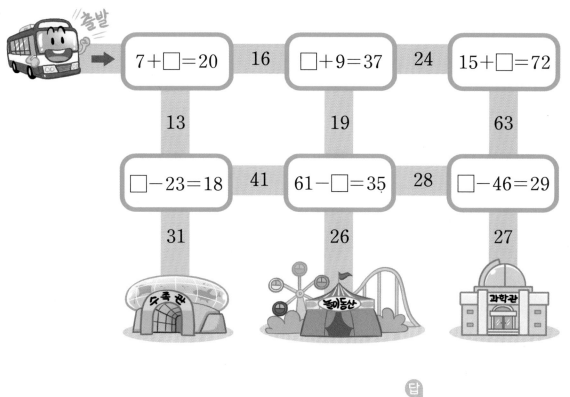

답 _____

3주
특강

융합 **10** 로마 숫자를 나타낸 표입니다. 예를 들어 12는 로마 숫자로 XII, 27은 로마 숫자로 XXVII로 나타냅니다. 다음 로마 숫자로 나타낸 식을 계산해 보세요.

1	2	3	4	5	6	7	8	9	10
I	II	III	IV	V	VI	VII	VIII	IX	X

$$XVI + XXV = \boxed{}$$

4주 곱셈

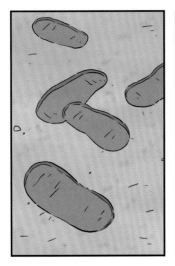

흠… 누군가 다녀간 흔적이 있구나.

에이~ 설마요.

마법의 돌을 6×3만큼 구해 보안을 더 강화하거라.

6 곱하기 3만큼이요? 그게 얼만큼인데요?

윽. 갑자기… 화장실이 급해서.

몇 개인지 말씀해주고 가시지~

얘들아 뭐해? 물어볼게 있어.

잠깐만 기다려. 호박을 세던 중이거든.

6개씩 묶음이 3개니까 6+6+6=18, 18개네.

우와~ 계산 잘하는구나.

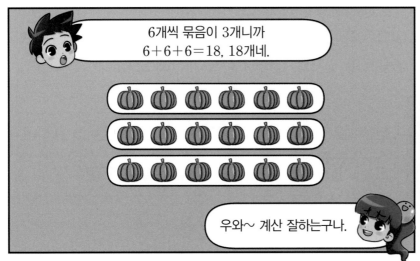

그래서 아까 물어볼게 뭐였지?

6×3이 얼마야?

이번에 배울 내용을 알아볼까요? ❶

1-2 **10개씩 묶어 세기**

밤이 10개씩 9묶음이면 90, 아흔 개잖아. 이상하네. 분명 100개였는데

10개씩 묶음이 몇 개인지를 세어 '몇십'으로 나타내어 볼까?

10개씩 9묶음이면 90이에요.
90-구십-아흔

🐻 모두 몇 개인지 세어 보세요.

1-1

[ ] 개

1-2

[ ] 개

1-3

[ ] 개

1-4

[ ] 개

2-1 세 수의 계산

물고기 18마리에 15마리 더 잡았는데 12마리를 다시 놓쳤으면 몇 마리 남았죠?

18＋15를 먼저 계산한 후 12를 빼 봐.

놓친 만큼 넌 먹지마.

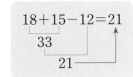

$$18+15-12=21$$

덧셈과 뺄셈이 섞여 있는 세 수의 계산은 앞에서부터 차례대로 계산해요.

4주
1일

🐻 계산해 보세요.

2-1 $44+38-23=$ ☐

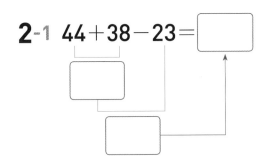

2-2 $15+66-26=$ ☐

2-3 $82-35+14=$ ☐

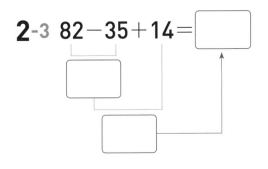

2-4 $62-16+35=$ ☐

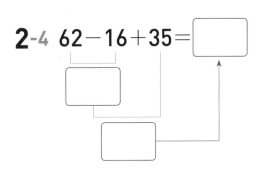

묶어 세어 보기 ①

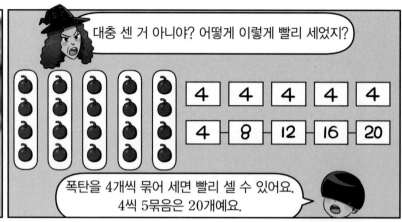

똑똑한 하루 계산법

• 묶어 세어 보기

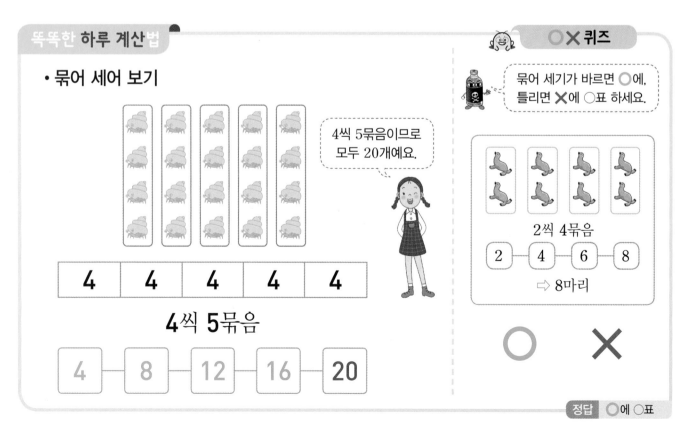

4씩 5묶음이므로 모두 20개예요.

| 4 | 4 | 4 | 4 | 4 |

4씩 5묶음

| 4 | 8 | 12 | 16 | 20 |

○✕ 퀴즈

묶어 세기가 바르면 ○에, 틀리면 ✕에 ○표 하세요.

2씩 4묶음

| 2 | 4 | 6 | 8 |

⇨ 8마리

○   ✕

정답 ○에 ○표

똑똑한 계산 연습

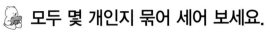 모두 몇 개인지 묶어 세어 보세요.

①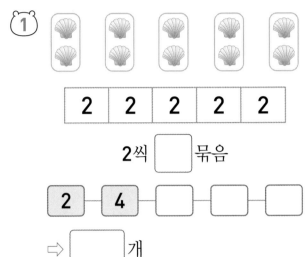

2	2	2	2	2

2씩 ☐ 묶음

2	4	☐	☐	☐

⇨ ☐ 개

②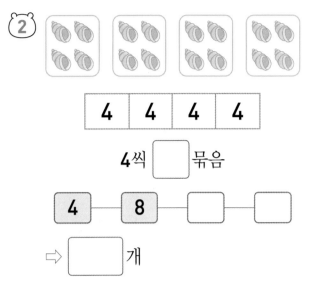

4	4	4	4

4씩 ☐ 묶음

4	8	☐	☐

⇨ ☐ 개

③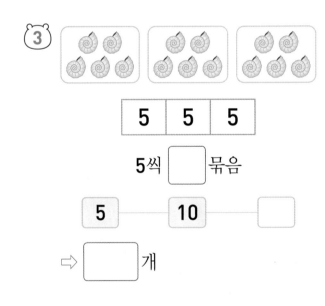

5	5	5

5씩 ☐ 묶음

5	10	☐

⇨ ☐ 개

④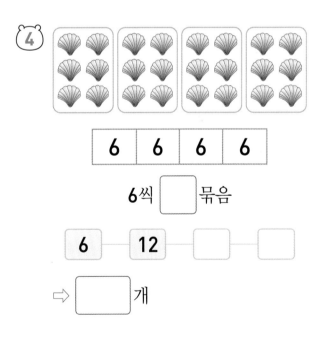

6	6	6	6

6씩 ☐ 묶음

6	12	☐	☐

⇨ ☐ 개

4주
1일

⑤

7씩 ☐ 묶음 ⇨ ☐ 개

⑥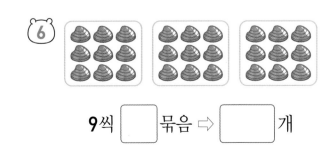

9씩 ☐ 묶음 ⇨ ☐ 개

묶어 세어 보기 ②

4씩 6묶음 ⇨ 24개

6씩 4묶음 ⇨ 24개

똑똑한 하루 계산법

• 묶음 수를 다르게 하여 묶어 세어 보기

< 4씩 묶어 세어 보기 >

4	4	4	4	4	4

4씩 6묶음 ⇨ 24개

< 6씩 묶어 세어 보기 >

6	6	6	6

6씩 4묶음 ⇨ 24개

○✕ 퀴즈

묶어 세기가 바르면 ○에, 틀리면 ✕에 ○표 하세요.

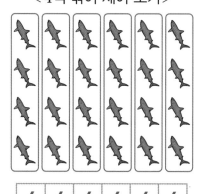

4씩 4묶음, 8씩 2묶음
⇨ 16개

 ○   ✕

정답 ○에 ○표

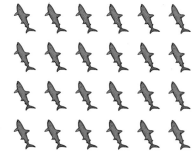

똑똑한 계산 연습

🐻 모두 몇 마리인지 묶음 수를 다르게 하여 세어 보세요.

①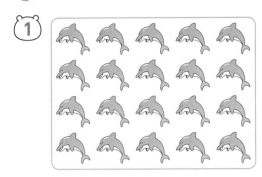

4씩 ☐ 묶음
5씩 ☐ 묶음
⇨ ☐ 마리

②

3씩 ☐ 묶음
7씩 ☐ 묶음
⇨ ☐ 마리

③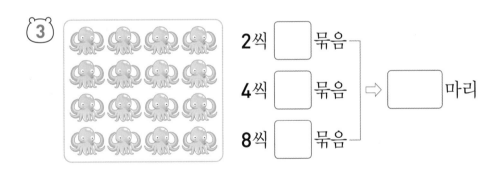

2씩 ☐ 묶음
4씩 ☐ 묶음
8씩 ☐ 묶음
⇨ ☐ 마리

④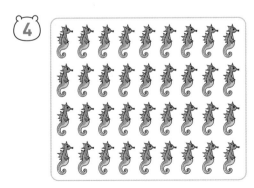

4씩 ☐ 묶음
6씩 ☐ 묶음
9씩 ☐ 묶음
⇨ ☐ 마리

🐻 그림을 보고 ☐ 안에 알맞은 수를 써넣으세요.

1-1

6씩 ☐ 묶음 ⇨ ☐ 마리

1-2

7씩 ☐ 묶음 ⇨ ☐ 마리

1-3

☐씩 **4**묶음 ⇨ ☐ 마리

1-4

☐씩 **4**묶음 ⇨ ☐ 마리

🐻 그림을 보고 ☐ 안에 알맞은 수를 써넣으세요.

2-1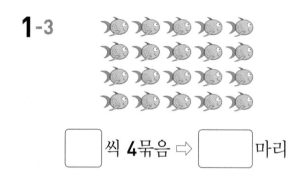

2씩 ☐ 묶음, 4씩 ☐ 묶음

⇨ ☐ 마리

2-2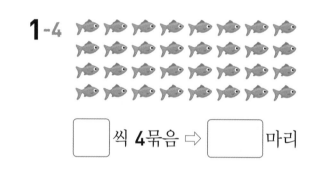

3씩 ☐ 묶음, 4씩 ☐ 묶음

⇨ ☐ 마리

생활 속 문제

🐻 모두 몇 개인지 조개의 수를 묶어 세어 보세요.

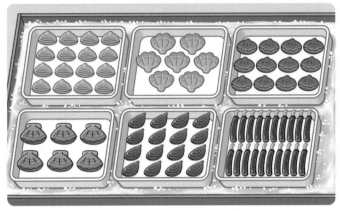

3-1 🐚 : 4씩 [ ] 묶음 ⇨ [ ] 개　　　**3**-2 🐚 : 6씩 [ ] 묶음 ⇨ [ ] 개

3-3 🐚 : 2씩 [ ] 묶음 ⇨ [ ] 개　　　**3**-4 🦪 : 5씩 [ ] 묶음 ⇨ [ ] 개

4주
1일

문장 읽고 문제 해결하기

4-1 사과가 7개씩 8묶음이면 모두 몇 개?

답 ＿＿＿＿＿＿ 개

4-2 키위가 9개씩 4묶음이면 모두 몇 개?

답 ＿＿＿＿＿＿ 개

4-3 가위가 4개씩 6묶음이면 모두 몇 개?

답 ＿＿＿＿＿＿ 개

4-4 팽이가 6개씩 5묶음이면 모두 몇 개?

답 ＿＿＿＿＿＿ 개

호빵이다~.

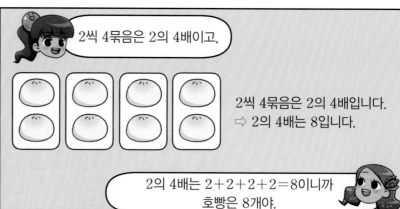

2씩 4묶음은 2의 4배이고,

2씩 4묶음은 2의 4배입니다.
⇨ 2의 4배는 8입니다.

2의 4배는 2+2+2+2=8이니까
호빵은 8개야.

맛있다~~

그런데 이제
남은 호빵은 두 개뿐…!

똑똑한 하루 계산법

• 2의 몇 배인지 알아보기

┌ **2씩 4묶음 ⇨ 2의 4배**
├ 2의 4배는 2를 4번 더한 것과 같습니다.
└ **2의 4배** ⇨ 2+2+2+2=8
　　　　　　　└─────┘
　　　　　　　　4번

■씩 ▲묶음은 ■의 ▲배입니다.

○× 퀴즈

나타낸 것이 바르면 ○에,
틀리면 ✗에 ○표 하세요.

⇨ 3의 4배

○　　　✗

정답 ○에 ○표

똑똑한 계산 연습

🐻 그림을 보고 몇의 몇 배인지 알아보세요.

①

2씩 6묶음 ⇨ 2의 □배

②

5씩 □묶음 ⇨ 5의 □배

③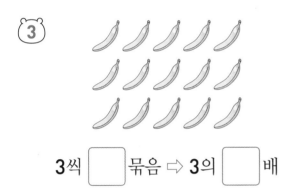

3씩 □묶음 ⇨ 3의 □배

④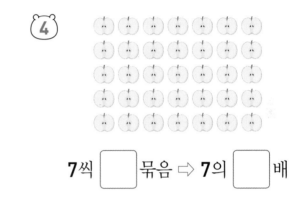

7씩 □묶음 ⇨ 7의 □배

⑤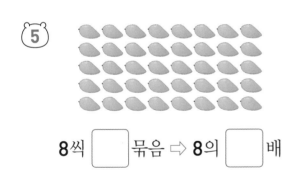

8씩 □묶음 ⇨ 8의 □배

⑥

9씩 □묶음 ⇨ 9의 □배

⑦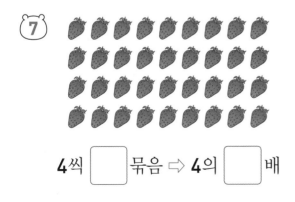

4씩 □묶음 ⇨ 4의 □배

⑧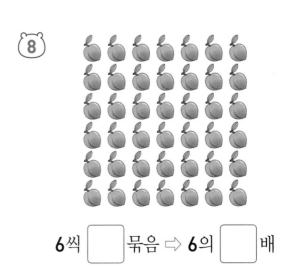

6씩 □묶음 ⇨ 6의 □배

몇의 몇 배 알아보기 ②

난 만두 2개밖에 못 먹었는데 다 어디 갔지?

내가 너의 4배 만큼을 먹었지.

텅 텅

혼자 8개나 먹었다고?

미안~

8개

귤도 없잖아! 난 2개밖에 못 먹었는데

내가 12개 먹었어.

내가 먹은 것의 6배잖아!

미안~

미안하다면 다야? 배고픈데 먹을 게 없잖아~

미이아안~

똑똑한 하루 계산법

• 8은 2의 몇 배인지 알아보기

┌ 8을 2씩 묶으면 4묶음이 됩니다.
├ 8은 **2씩 4묶음**입니다.
└ 8은 **2의 4배**입니다.

8은 2를 4번 더한 것과 같습니다.
$$8 = 2 + 2 + 2 + 2$$
4번

○✕ 퀴즈

 나타낸 것이 바르면 ○에, 틀리면 ✕에 ○표 하세요.

⇨ 6은 3의 3배입니다.

 ○   ✕

정답 ✕에 ○표

똑똑한 계산 연습

🐻 빨간색 사과의 수는 초록색 사과의 수의 몇 배인지 ☐ 안에 알맞은 수를 써넣으세요.

①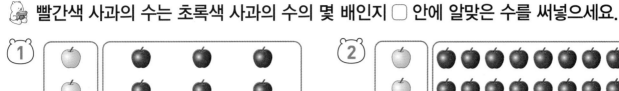

6은 ☐의 ☐배

②

24는 ☐의 ☐배

③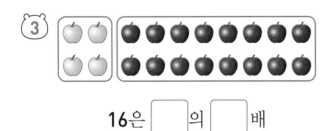

16은 ☐의 ☐배

④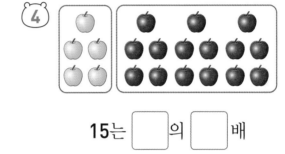

15는 ☐의 ☐배

⑤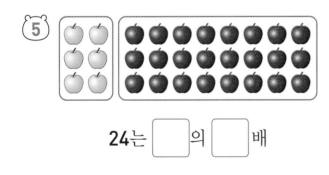

24는 ☐의 ☐배

⑥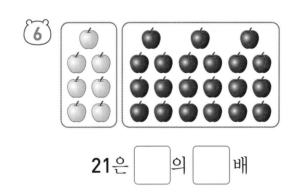

21은 ☐의 ☐배

⑦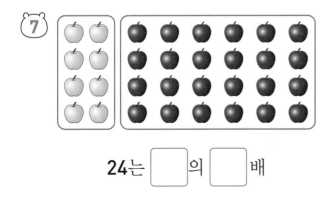

24는 ☐의 ☐배

⑧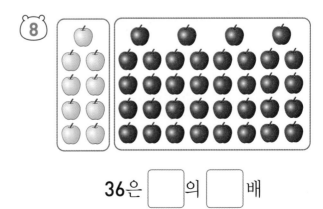

36은 ☐의 ☐배

기초 집중 연습

🐻 ☐ 안에 알맞은 수를 써넣으세요.

보기

$9+9+9+9+9+9+9$

9씩 7묶음 ⇨ 9의 7배

1-1 $6+6+6+6+6$

6씩 ☐ 묶음 ⇨ ☐ 의 ☐ 배

1-2 $4+4+4+4$

4씩 ☐ 묶음 ⇨ ☐ 의 ☐ 배

1-3 $2+2+2+2+2+2+2$

2씩 ☐ 묶음 ⇨ ☐ 의 ☐ 배

🐻 ☐ 안에 알맞은 수를 써넣으세요.

2-1   3씩 9묶음 ⇨ ☐ 의 ☐ 배

2-2   8씩 2묶음 ⇨ ☐ 의 ☐ 배

2-3   5씩 5묶음 ⇨ ☐ 의 ☐ 배

2-4   7씩 4묶음 ⇨ ☐ 의 ☐ 배

2-5   2의 9배 ⇨ 2씩 ☐ 묶음

2-6   6의 4배 ⇨ 6씩 ☐ 묶음

생활 속 문제

🐻 주어진 과일의 수는 딸기의 수의 몇 배인지 각각 구하세요.

3-1

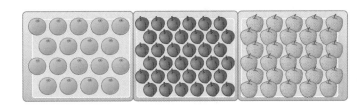

[ ]배   [ ]배   [ ]배

3-2

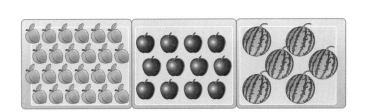

[ ]배   [ ]배   [ ]배

4주
2일

문장 읽고 문제 해결하기

4-1

36은 9의 몇 배인 수?

답 _____ 배

4-2

32는 4의 몇 배인 수?

답 _____ 배

4-3

18은 6의 몇 배인 수?

답 _____ 배

4-4

35는 5의 몇 배인 수?

답 _____ 배

곱셈식 알아보기 ①

똑똑한 하루 계산법

• 곱셈식 쓰고 읽기

3씩 6묶음입니다.

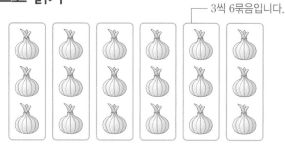

- 3의 6배를 **3 × 6**이라고 씁니다.
- **3 × 6**은 **3 곱하기** 6이라고 읽습니다.

> 참고
> 곱셈 기호 쓰기: ①╳② 또는 ②╳①

 ○╳ 퀴즈

나타낸 것이 바르면 ○에, 틀리면 ╳에 ○표 하세요.

6의 2배 ⇨ 6 × 6

 ○   ╳

정답 ╳에 ○표

똑똑한 계산 연습

제한 시간 3분

🐻 그림을 보고 ☐ 안에 알맞은 수를 써넣으세요.

1

4의 3배 ⇨ 4 × ☐

2

7의 4배 ⇨ 7 × ☐

3
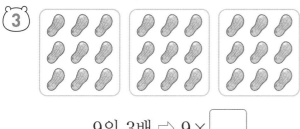

9의 3배 ⇨ 9 × ☐

4

6의 4배 ⇨ 6 × ☐

5

5의 6배 ⇨ 5 × ☐

6

4의 5배 ⇨ 4 × ☐

7
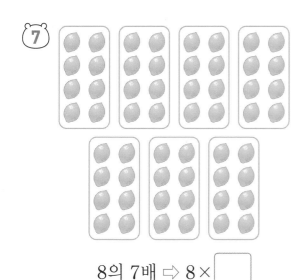

8의 7배 ⇨ 8 × ☐

8
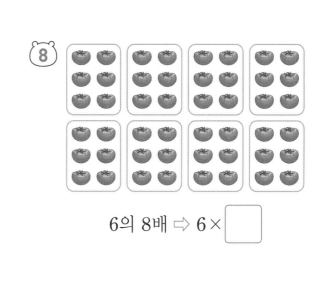

6의 8배 ⇨ 6 × ☐

4주
3일

3^일 곱셈식 알아보기 ②

똑똑한 하루 계산법

• 곱셈식으로 알아보기

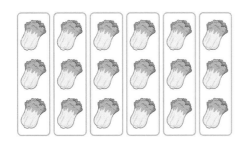

- 3＋3＋3＋3＋3＋3은 3×6과 같습니다.
- 3×6＝18
- 3×6＝18은 3 곱하기 6은 18과 같습니다 라고 읽습니다.
- 3과 6의 곱은 18입니다.

○✕ 퀴즈

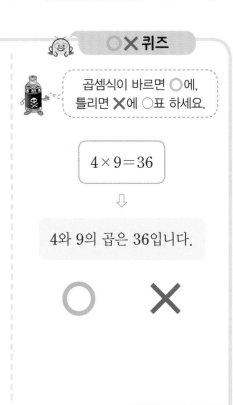

곱셈식이 바르면 ○에, 틀리면 ✕에 ○표 하세요.

$$4 \times 9 = 36$$

⇩

4와 9의 곱은 36입니다.

○   ✕

🐻 곱셈식을 읽어 보세요.

① $3 \times 5 = 15$ ⇨ _____

② $6 \times 7 = 42$ ⇨ _____

③ $9 \times 3 = 27$ ⇨ _____

🐻 곱셈식으로 나타내어 보세요.

④ 4 곱하기 9는 36과 같습니다.

식 _____

⑤ 3 곱하기 7은 21과 같습니다.

식 _____

⑥ 2 곱하기 8은 16과 같습니다.

식 _____

⑦ 5 곱하기 5는 25와 같습니다.

식 _____

⑧ 7 곱하기 2는 14와 같습니다.

식 _____

⑨ 8 곱하기 6은 48과 같습니다.

식 _____

4주
3일

기초 집중 연습

🐻 그림을 보고 ☐ 안에 알맞은 수를 써넣으세요.

1-1

4의 4배 ⇨ 4 × ☐

1-2

7의 3배 ⇨ 7 × ☐

1-3

3의 4배 ⇨ ☐ × ☐

1-4

6의 6배 ⇨ ☐ × ☐

🐻 그림의 수를 <u>잘못</u> 나타낸 것을 찾아 ×표 하세요.

2-1

| 3의 5배 | 3×4=12 | 15개 |

(   )   (   )   (   )

2-2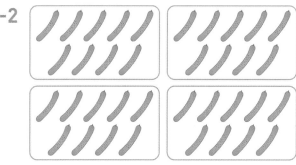

| 24개 | 9×4=36 | 9씩 4묶음 |

(   ) (   ) (   )

생활 속 계산

🐻 몇 개의 호박을 구입했는지 곱셈식으로 나타내어 보세요.

3-1
영탁

6씩 ☐ 묶음 ⇨ 6 × ☐ = ☐ (개)

3-2
민하

9씩 ☐ 묶음 ⇨ 9 × ☐ = ☐ (개)

4주
3일

문장 읽고 계산식 세우기

🐻 곱셈식으로 나타내어 보세요.

4-1

5와 8의 곱은 40입니다.

식 5 × ☐ = ☐
_____

4-2
7의 8배는 56입니다.

식 7 × ☐ = ☐
_____

4-3

6씩 3묶음은 18입니다.

식 ☐ × ☐ = ☐
_____

4-4
8과 8의 곱은 64입니다.

식 ☐ × ☐ = ☐
_____

곱셈식으로 나타내기 ①

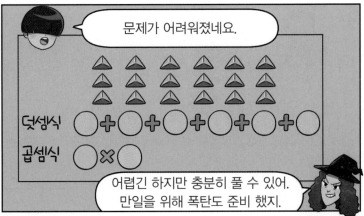

똑똑한 하루 계산법

• 덧셈식과 곱셈식으로 나타내기

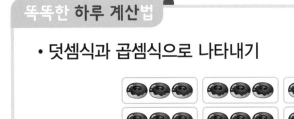

3씩 6묶음 ⇨ 3의 6배

덧셈식 $3+3+3+3+3+3=18$

곱셈식 $3 \times 6 = 18$

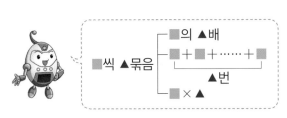

○× 퀴즈

나타낸 것이 바르면 ○에,
틀리면 ✕에 ○표 하세요.

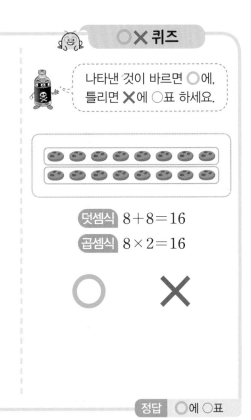

덧셈식 $8+8=16$

곱셈식 $8 \times 2 = 16$

○   ✕

정답 ○에 ○표

똑똑한 계산 연습

🐻 그림을 보고 덧셈식과 곱셈식으로 나타내어 보세요.

①

덧셈식 3+□+□+□=□

곱셈식 3×□=□

②
덧셈식 6+□+□+□=□

곱셈식 □×□=□

🐻 그림을 보고 덧셈식과 곱셈식으로 나타내어 보세요.

③
덧셈식 _____

곱셈식 _____

④
덧셈식 _____

곱셈식 _____

⑤
덧셈식 _____

곱셈식 _____

⑥
덧셈식 _____

곱셈식 _____

곱셈식으로 나타내기 ②

똑똑한 하루 계산법

- 우유의 수를 여러 가지 곱셈식으로 나타내어 보기

2씩 8묶음 ⇨ 2의 8배 ⇨ $2 \times 8 = 16$

4씩 4묶음 ⇨ 4의 4배 ⇨ $4 \times 4 = 16$

8씩 2묶음 ⇨ 8의 2배 ⇨ $8 \times 2 = 16$

묶는 방법에 따라 여러 가지 곱셈식을 만들 수 있습니다.

 ○✕ 퀴즈

곱셈식이 바르면 ○에, 틀리면 ✕에 ○표 하세요.

$2 \times 3 = 6, \ 3 \times 2 = 6$

○   ✕

정답 ○에 ○표

똑똑한 계산 연습

🐻 그림을 보고 모두 몇 개인지 ☐ 안에 알맞은 수를 써넣으세요.

①

$3 \times \boxed{} = 15, \ 5 \times \boxed{} = 15$

②

$4 \times \boxed{} = 28, \ 7 \times \boxed{} = \boxed{}$

③

$2 \times \boxed{} = \boxed{}, \ 3 \times \boxed{} = \boxed{}$

$4 \times \boxed{} = \boxed{}, \ 6 \times \boxed{} = \boxed{}$

④

$2 \times \boxed{} = \boxed{}, \ 3 \times \boxed{} = \boxed{}$

$6 \times \boxed{} = \boxed{}, \ 9 \times \boxed{} = \boxed{}$

⑤

$3 \times \boxed{} = \boxed{}, \ 4 \times \boxed{} = \boxed{}$

$6 \times \boxed{} = \boxed{}, \ 8 \times \boxed{} = \boxed{}$

기초 집중 연습

🐻 그림을 보고 덧셈식과 곱셈식으로 나타내어 보세요.

1-1
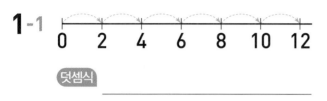

덧셈식 _____

곱셈식 _____

1-2
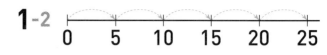

덧셈식 _____

곱셈식 _____

1-3
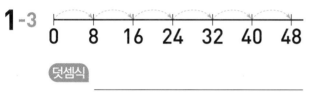

덧셈식 _____

곱셈식 _____

1-4
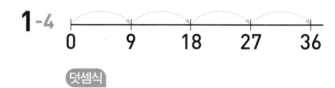

덧셈식 _____

곱셈식 _____

🐻 모양을 주어진 개수만큼 만들 때 필요한 성냥개비의 수를 덧셈식과 곱셈식으로 나타내어 보세요.

2-1

4개

4의 4배

➡ 4+ ☐ + ☐ + ☐

= ☐ (개)

➡ ☐ × ☐ = ☐ (개)

2-2

4개

5의 4배

➡ 5+ ☐ + ☐ + ☐

= ☐ (개)

➡ ☐ × ☐ = ☐ (개)

생활 속 계산

🐻 주어진 빵의 수를 곱셈식으로 나타내어 보세요.

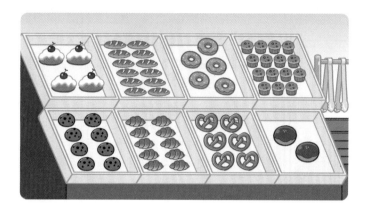

3-1 🥖 : 4 × ☐ = ☐ (개)

3 × ☐ = ☐ (개)

3-2 🧁 : 5 × ☐ = ☐ (개)

3 × ☐ = ☐ (개)

4주
4일

3-3 🥐 : 2 × ☐ = ☐ (개)

5 × ☐ = ☐ (개)

3-4 🥨 : ☐ × ☐ = ☐ (개)

☐ × ☐ = ☐ (개)

문장 읽고 계산식 세우기

4-1

9씩 3묶음을 덧셈식과 곱셈식으로 각각 나타내면?

덧셈식 _____

곱셈식 _____

4-2

6씩 4묶음을 덧셈식과 곱셈식으로 각각 나타내면?

덧셈식 _____

곱셈식 _____

똑똑한 하루 계산법

• 가려진 그림을 보고 곱셈식으로 나타내기

가려진 부분에도 규칙적으로 새우가 있으므로 새우는 모두 6마리씩 3줄 있습니다.

6씩 3줄 ⇨ 6의 3배 ⇨ 6 × 3

⇨ 새우는 모두 $6 × 3 = 18$(마리)입니다.

○✗ 퀴즈

곱셈식으로 나타낸 것이 바르면 ○에, 틀리면 ✗에 ○표 하세요.

⇨ $3 × 4 = 12$

○   ✗

정답 ✗에 ○표

똑똑한 계산 연습

제한 시간 3분

🐻📖 새우는 모두 몇 마리인지 ☐ 안에 알맞은 수를 써넣으세요.

①

$5 \times \boxed{} = \boxed{}$ (마리)

②

$7 \times \boxed{} = \boxed{}$ (마리)

③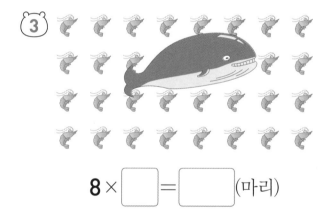

$8 \times \boxed{} = \boxed{}$ (마리)

④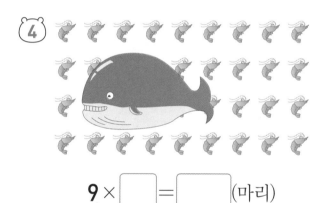

$9 \times \boxed{} = \boxed{}$ (마리)

⑤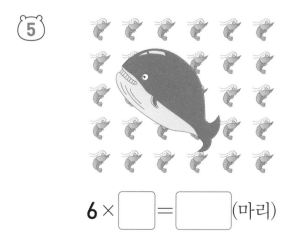

$6 \times \boxed{} = \boxed{}$ (마리)

⑥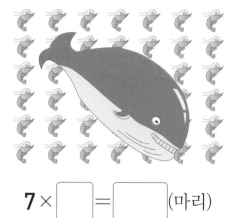

$7 \times \boxed{} = \boxed{}$ (마리)

4주 5일

똑똑한 하루 계산법

- 가려진 그림을 보고 여러 가지 곱셈식으로 나타내기

- 3씩 8묶음 ⇨ **3의 8배**
  - ⇨ $3+3+3+3+3+3+3+3=24$
  - ⇨ $3 \times 8 = 24$

- 8씩 3묶음 ⇨ **8의 3배**
  - ⇨ $8+8+8=24$
  - ⇨ $8 \times 3 = 24$

○× 퀴즈

곱셈식으로 나타낸 것이
바르면 ○에, 틀리면 ✕에
○표 하세요.

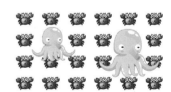

$6 \times 4 = 24$, $4 \times 6 = 24$

정답 ○에 ○표

🐻 조개는 모두 몇 개인지 ☐ 안에 알맞은 수를 써넣으세요.

①

$3 \times 5 = \boxed{}$ (개),

$5 \times 3 = \boxed{}$ (개)

②
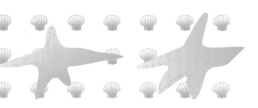

$3 \times 7 = \boxed{}$ (개),

$7 \times 3 = \boxed{}$ (개)

③
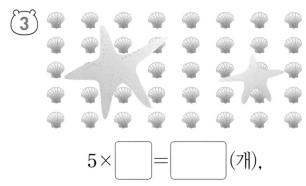

$5 \times \boxed{} = \boxed{}$ (개),

$8 \times \boxed{} = \boxed{}$ (개)

④

$6 \times \boxed{} = \boxed{}$ (개),

$7 \times \boxed{} = \boxed{}$ (개)

⑤
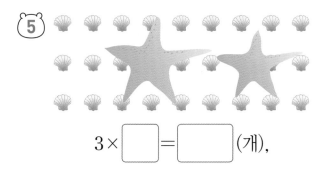

$3 \times \boxed{} = \boxed{}$ (개),

$9 \times \boxed{} = \boxed{}$ (개)

⑥

$5 \times \boxed{} = \boxed{}$ (개),

$6 \times \boxed{} = \boxed{}$ (개)

4주 5일

🐻 게는 모두 몇 마리인지 ☐ 안에 알맞은 수를 써넣으세요.

1-1

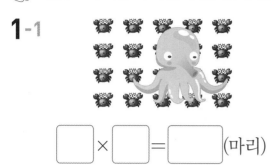

☐ × ☐ = ☐ (마리)

1-2

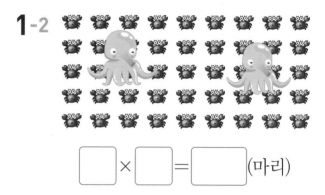

☐ × ☐ = ☐ (마리)

1-3

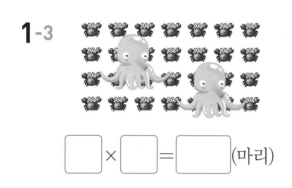

☐ × ☐ = ☐ (마리)

1-4

☐ × ☐ = ☐ (마리)

🐻 가려진 곳의 구슬 수를 구하세요.

2-1

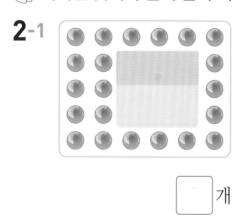

☐ 개

2-2

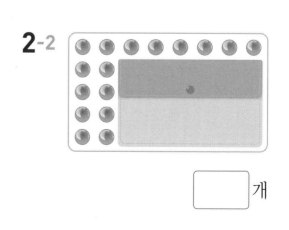

☐ 개

제한 시간 5분

4주
5일

생활 속 문제

3 성게는 모두 몇 마리인지 바르게 말한 사람을 모두 찾아 ○표 하세요.

성게

7×3=21이므로
모두 21마리야.

9×3=27이므로
모두 27마리야.

3×9=27이므로
모두 27마리야.

민호

( )

영탁

( )

우석

( )

문장 읽고 문제 해결하기

물감이 번져 지워진 곳에 알맞은 구슬 수만큼 ○로 그려 넣으세요.

4-1 구슬이 규칙적으로 3씩 5줄이 그려져 있을 때 지워진 곳의 구슬을 그리면?

4-2 구슬이 규칙적으로 6씩 4줄이 그려져 있을 때 지워진 곳의 구슬을 그리면?

4^주 평가 **누구나 100점 맞는 TEST**

🐻 모두 몇 개인지 묶어 세어 보세요.

1

3씩 ☐ 묶음 ⇨ ☐ 개

2

2씩 ☐ 묶음 ⇨ ☐ 개

3

4씩 ☐ 묶음 ⇨ ☐ 개

4

5씩 ☐ 묶음 ⇨ ☐ 개

🐻 ☐ 안에 알맞은 수를 써넣으세요.

5 7개씩 ☐ 묶음 ⇨ 49개

6 8개씩 ☐ 묶음 ⇨ 24개

7 4개씩 ☐ 묶음 ⇨ 20개

8 9개씩 ☐ 묶음 ⇨ 72개

9 ☐ 개씩 6묶음 ⇨ 36개

10 ☐ 개씩 4묶음 ⇨ 32개

▶정답 및 풀이 23쪽

⏰ 제한 시간 10분

🐻 곱셈식으로 나타내어 보세요.

11 6 곱하기 5는 30과 같습니다.

식 _____

12 3 곱하기 9는 27과 같습니다.

식 _____

13 4 곱하기 6은 24와 같습니다.

식 _____

14 5 곱하기 7은 35와 같습니다.

식 _____

🐻 ☐ 안에 알맞은 수를 써넣으세요.

15 4의 3배

⇨ ☐ × ☐ = ☐

16 8의 4배

⇨ ☐ × ☐ = ☐

17 3의 6배

⇨ ☐ × ☐ = ☐

18 7의 8배

⇨ ☐ × ☐ = ☐

19 8의 8배

⇨ ☐ × ☐ = ☐

20 2의 9배

⇨ ☐ × ☐ = ☐

4주 평가

제한 시간 안에 정확하게
모두 풀었다면 여러분은 진정한 **계산왕!**

아닥스는 모두 몇 마리일까?

 계절에 따라 털 색깔이 바뀌는 사막의 멋쟁이인 아닥스가 모여 있습니다.

 아닥스를 4마리씩 묶어 세어 모두 몇 마리인지 알아보자.

| 4 | 8 | | |

아닥스는 모두 [　] 마리예요.

전복과 해삼

 해녀가 바다에서 해산물을 잡고 있습니다.

4주
특강

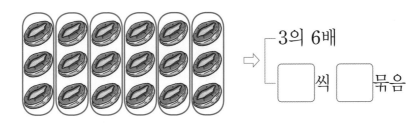

3의 6배
□씩 □묶음

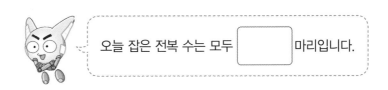

오늘 잡은 전복 수는 모두 □마리입니다.

 아정이는 환경을 위해 저탄소 인증 마크가 있는 물건을 구매하려고 합니다. 물음에 답하세요.

융합 **3** 아정이가 사려고 하는 사과의 수를 덧셈식으로 나타내어 보세요.

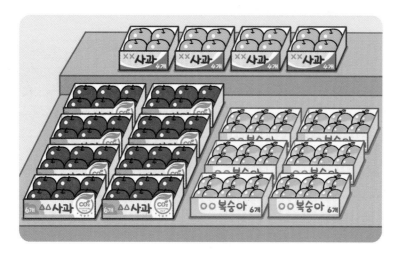

온실가스 배출량을 감축한 제품임을 인증하는 표시야.

덧셈식 _____

융합 **4** 아정이가 사려고 하는 달걀의 수를 곱셈식으로 나타내어 보세요.

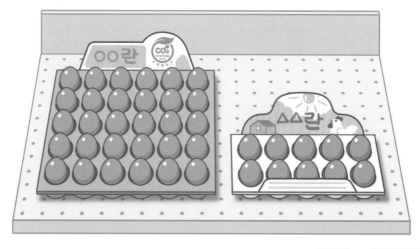

곱셈식 $5 \times \boxed{} = \boxed{}$

융합 5 송편을 남김없이 상자 1칸에 1개씩 모두 담아 선물하려고 합니다. 구입해야 하는 상자를 찾아 ○표 하세요.

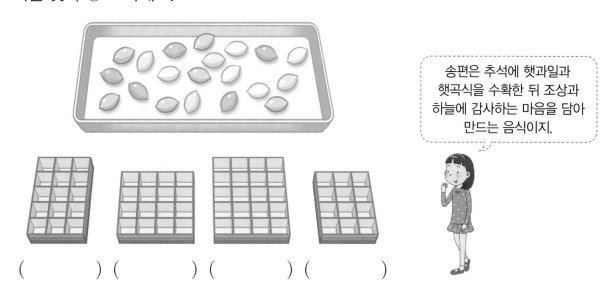

송편은 추석에 햇과일과 햇곡식을 수확한 뒤 조상과 하늘에 감사하는 마음을 담아 만드는 음식이지.

( ) ( ) ( ) ( )

융합 6 수족관에 있는 수달 한 마리에게 물고기를 5마리씩 선물하려고 합니다. 구입해야 하는 생선에 ○표 하세요.

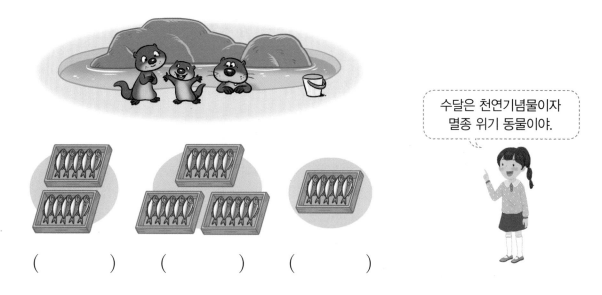

수달은 천연기념물이자 멸종 위기 동물이야.

( ) ( ) ( )

 다음 명령을 실행하여 값을 구하려고 합니다. 2를 입력했을 때 나오는 값을 구하세요.

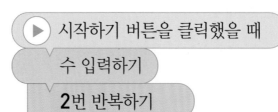

▶ 시작하기 버튼을 클릭했을 때
수 입력하기
2번 반복하기
×**3** 계산하기

답 _____

창의**8** 나타내는 수가 같은 것을 찾아 미로를 통과하는 길을 그려 보세요.

출발 ▶

4의 3배	4×3	3+3+3
4+3+4	4 곱하기 3	12
3 곱하기 3	16	4씩 3묶음

도착 ▶

🐻 그림을 보고 물음에 답하세요.

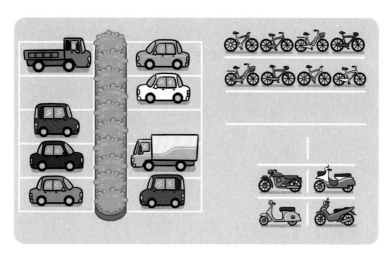

창의 9　오토바이 한 대의 바퀴가 2개일 때 주차장에 있는 오토바이의 바퀴 수는 모두 몇 개인지 구하세요.

답 _____ 개

4주

특강

창의 10　자동차 한 대의 바퀴가 4개일 때 주차장에 있는 자동차의 바퀴 수는 모두 몇 개인지 구하세요.

답 _____ 개

초등 수학 기초 학습 능력 강화 교재

2021 신간

하루하루 쌓이는 수학 자신감!

똑똑한 하루
수학 시리즈

초등 수학 첫 걸음

수학 공부, 절대 지루하면 안 되니까~
하루 10분 학습 커리큘럼으로
쉽고 재미있게 수학과 친해지기!

학습 영양 밸런스

〈수학〉은 물론 〈계산〉, 〈도형〉, 〈사고력〉편까지
초등 수학 전 영역을 커버하는 맞춤형 교재로
편식은 NO! 완벽한 수학 영양 밸런스!

창의·사고력 확장

초등학생에게 꼭 필요한 수학 지식과
창의·융합·사고력 확장을 위한
재미있는 문제 구성으로 힘찬 워밍업!

우리 아이 공부 습관 프로젝트!

하루 계산 (총 6단계, 12권)

하루 도형 (총 6단계, 6권)

하루 수학 (총 6단계, 12권)

하루 사고력 (총 6단계, 12권)

✂ 쉽다!

10분이면 하루 치 공부를 마칠 수 있는 커리큘럼으로,
아이들이 초등 학습에 쉽고 재미있게 접근할 수 있도록 구성하였습니다.

🧩 재미있다!

교과서는 물론 생활 속에서 쉽게 접할 수 있는 다양한 소재와
재미있는 게임 형식의 문제로 흥미로운 학습이 가능합니다.

📖 똑똑하다!

초등학생에게 꼭 필요한 학습 지식 습득은 물론
창의력 확장까지 가능한 교재로 올바른 공부습관을 가지는 데 도움을 줍니다.

정답 및 풀이

똑똑한
하루
계산

초등
수학 **2A**
2학년 수준

천재교육

정답 및 풀이
포인트 ❸가지

▶ 혼자서도 이해할 수 있는 문제 풀이

▶ 자세한 풀이 제시

▶ 참고·주의 등 풍부한 보충 설명

1주 · 세 자리 수

1-1 75 **1-2** 84
2-1 육십구, 예순아홉 **2-2** 구십이, 아흔둘
3-1 71에 ○표 **3-2** 83에 ○표
4-1 > **4-2** <
4-3 < **4-4** >

1-1 10개씩 묶음 7개와 낱개 5개를 75라고 합니다.

1-2 10개씩 묶음 8개와 낱개 4개를 84라고 합니다.

3-1 10개씩 묶음의 수를 비교하면 71이 더 큽니다.

3-2 10개씩 묶음의 수를 비교하면 83이 더 큽니다.

4-1 10개씩 묶음의 수를 비교하면 95는 86보다 큽니다.

4-2 10개씩 묶음의 수가 같으므로 낱개의 수를 비교하면 82는 84보다 작습니다.

① 2 ② 1
③ 10 ④ 20
⑤ 10 ⑥ 10
⑦ 20 ⑧ 30
⑨ 40 ⑩ 50
⑪ 10 ⑫ 60

⑦ 80원이므로 20원이 더 필요합니다.

⑧ 70원이므로 30원이 더 필요합니다.

⑨ 60원이므로 40원이 더 필요합니다.

⑩ 50원이므로 50원이 더 필요합니다.

⑪ 90원이므로 10원이 더 필요합니다.

⑫ 40원이므로 60원이 더 필요합니다.

① 200, 이백 ② 400, 사백
③ 500, 오백 ④ 300, 삼백
⑤ 600, 육백 ⑥ 700, 칠백
⑦ 800, 팔백 ⑧ 900, 구백

⑤ 백 모형이 6개이므로 600이라 쓰고, 600은 육백이라고 읽습니다.

⑥ 백 모형이 7개이므로 700이라 쓰고, 700은 칠백이라고 읽습니다.

⑦ 백 모형이 8개이므로 800이라 쓰고, 800은 팔백이라고 읽습니다.

⑧ 백 모형이 9개이므로 900이라 쓰고, 900은 구백이라고 읽습니다.

1-1 100 ; 100 **1-2** 80 ; 100
2-1 500 **2-2** 3
2-3 700 **2-4** 4
2-5 900 **2-6** 8
3-1 700 **3-2** 200
3-3 500 **3-4** 800
4-1 400, 사백 **4-2** 600, 육백

1-2 수직선에서 10씩 커지므로 70보다 10 큰 수는 80이고, 90보다 10 큰 수는 100입니다.

3-1 100원짜리 동전이 7개이므로 700원입니다.

3-2 100원짜리 동전이 2개이므로 200원입니다.

3-3 100원짜리 동전이 5개이므로 500원입니다.

3-4 100원짜리 동전이 8개이므로 800원입니다.

4-1 백 모형이 4개이면 400이라 쓰고, 400은 사백이라고 읽습니다.

4-2 백 모형이 6개이면 600이라 쓰고, 600은 육백이라고 읽습니다.

15쪽 똑똑한 계산 연습

① 253
② 327
③ 431
④ 546
⑤ 675
⑥ 768

① 백 모형 2개 ┐
십 모형 5개 │ 인 수 ⇨ 253
일 모형 3개 ┘

② 백 모형 3개 ┐
십 모형 2개 │ 인 수 ⇨ 327
일 모형 7개 ┘

③ 백 모형 4개 ┐
십 모형 3개 │ 인 수 ⇨ 431
일 모형 1개 ┘

④ 백 모형 5개 ┐
십 모형 4개 │ 인 수 ⇨ 546
일 모형 6개 ┘

⑤ 백 모형 6개 ┐
십 모형 7개 │ 인 수 ⇨ 675
일 모형 5개 ┘

⑥ 백 모형 7개 ┐
십 모형 6개 │ 인 수 ⇨ 768
일 모형 8개 ┘

17쪽 똑똑한 계산 연습

① 357
② 513
③ 290
④ 796
⑤ 352
⑥ 408
⑦ 859
⑧ 175
⑨ 602
⑩ 569

① 100이 3개 → 300 ┐
10이 5개 → 50 │ ⇨ 357
1이 7개 → 7 ┘

② 100이 5개 → 500 ┐
10이 1개 → 10 │ ⇨ 513
1이 3개 → 3 ┘

③ 100이 2개 → 200 ┐
10이 9개 → 90 │ ⇨ 290
1이 0개 → 0 ┘

④ 100이 7개 → 700 ┐
10이 9개 → 90 │ ⇨ 796
1이 6개 → 6 ┘

⑤ 100이 3개 → 300 ┐
10이 5개 → 50 │ ⇨ 352
1이 2개 → 2 ┘

⑥ 100이 4개 → 400 ┐
10이 0개 → 0 │ ⇨ 408
1이 8개 → 8 ┘

⑦ 100이 8개 → 800 ┐
10이 5개 → 50 │ ⇨ 859
1이 9개 → 9 ┘

⑧ 100이 1개 → 100 ┐
10이 7개 → 70 │ ⇨ 175
1이 5개 → 5 ┘

⑨ 100이 6개 → 600 ┐
10이 0개 → 0 │ ⇨ 602
1이 2개 → 2 ┘

⑩ 100이 5개 → 500 ┐
10이 6개 → 60 │ ⇨ 569
1이 9개 → 9 ┘

18~19쪽 기초 집중 연습

1-1 136, 백삼십육
1-2 223, 이백이십삼
1-3 451, 사백오십일
1-4 630, 육백삼십
2-1 561
2-2 708
2-3 640
2-4 291
3-1 225
3-2 314
3-3 623
3-4 462
4-1 752
4-2 593

1-1 백 모형 1개, 십 모형 3개, 일 모형 6개이므로 136이라 쓰고, 136은 백삼십육이라고 읽습니다.

1-2 백 모형 2개, 십 모형 2개, 일 모형 3개이므로 223이라 쓰고, 223은 이백이십삼이라고 읽습니다.

1-3 백 모형 4개, 십 모형 5개, 일 모형 1개이므로 451이라 쓰고, 451은 사백오십일이라고 읽습니다.

1-4 백 모형 6개, 십 모형 3개이므로 630이라 쓰고, 630은 육백삼십이라고 읽습니다.

3-1 수수깡이 100개씩 2통, 10개씩 2묶음, 낱개 5개이므로 225개입니다.

3-2 수수깡이 100개씩 3통, 10개씩 1묶음, 낱개 4개이므로 314개입니다.

3-3 수수깡이 100개씩 6통, 10개씩 2묶음, 낱개 3개이므로 623개입니다.

3-4 수수깡이 100개씩 4통, 10개씩 6묶음, 낱개 2개이므로 462개입니다.

4-1 100이 7개이면 700, 10이 5개이면 50, 1이 2개이면 2이므로 752입니다.

4-2 100이 5개이면 500, 10이 9개이면 90, 1이 3개이면 3이므로 593입니다.

21쪽	똑똑한 계산 연습

① 40, 5 ; 40, 5
② 500, 6 ; 500, 6
③ 300, 80 ; 300, 80
④ 10, 6 ; 10, 6
⑤ 900, 1 ; 900, 1

① 2 4 5
→ 100이 2개 ⇨ 200
→ 10이 4개 ⇨ 40
→ 1이 5개 ⇨ 5

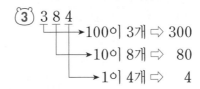

② 5 2 6
→ 100이 5개 ⇨ 500
→ 10이 2개 ⇨ 20
→ 1이 6개 ⇨ 6

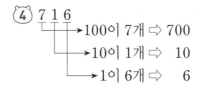

③ 3 8 4
→ 100이 3개 ⇨ 300
→ 10이 8개 ⇨ 80
→ 1이 4개 ⇨ 4

④ 7 1 6
→ 100이 7개 ⇨ 700
→ 10이 1개 ⇨ 10
→ 1이 6개 ⇨ 6

⑤ 9 5 1
→ 100이 9개 ⇨ 900
→ 10이 5개 ⇨ 50
→ 1이 1개 ⇨ 1

23쪽	똑똑한 계산 연습

① 40 ② 500
③ 9 ④ 30
⑤ 400 ⑥ 5
⑦ 20 ⑧ 300
⑨ 400 ⑩ 3
⑪ 30 ⑫ 200

① 247
→ 십의 자리 숫자, 40

② 563
→ 백의 자리 숫자, 500

③ 189
→ 일의 자리 숫자, 9

④ 732
→ 십의 자리 숫자, 30

⑤ 436
→ 백의 자리 숫자, 400

⑥ 935
→ 일의 자리 숫자, 5

⑦ 623
└→ 십의 자리 숫자, 20

⑧ 384
└→ 백의 자리 숫자, 300

⑨ 415
└→ 백의 자리 숫자, 400

⑩ 603
└→ 일의 자리 숫자, 3

⑪ 831
└→ 십의 자리 숫자, 30

⑫ 297
└→ 백의 자리 숫자, 200

27쪽	똑똑한 계산 연습

① 547, 647, 747, 847
② 514, 614, 714, 814, 914
③ 408, 508, 608, 708, 808
④ 544, 554, 564, 574
⑤ 745, 755, 765, 775, 785
⑥ 452, 462, 472, 482, 492
⑦ 625, 626, 627, 628, 629
⑧ 913, 914, 915, 916, 917

24~25쪽	기초 집중 연습

1-1 500, 40, 6   **1-2** 300, 20, 7
1-3 900, 80, 3   **1-4** 700, 60, 5
2-1 백, 200   **2-2** 십, 50
2-3 일, 3   **2-4** 백, 500
3-1 603   **3-2** 530
3-3 745   **3-4** 156
4-1 863   **4-2** 751

2-1 239에서 2는 백의 자리 숫자이고 200을 나타냅니다.

2-2 451에서 5는 십의 자리 숫자이고 50을 나타냅니다.

2-3 623에서 3은 일의 자리 숫자이고 3을 나타냅니다.

2-4 582에서 5는 백의 자리 숫자이고 500을 나타냅니다.

4-1

백의 자리	십의 자리	일의 자리	
8	6	3	⇨ 863

4-2

백의 자리	십의 자리	일의 자리	
7	5	1	⇨ 751

29쪽	똑똑한 계산 연습

① 100   ② 10
③ 1   ④ 10
⑤ 100   ⑥ 1
⑦ 100   ⑧ 1
⑨ 10   ⑩ 100

⑤ 백의 자리 숫자가 1씩 커지고 있으므로 100씩 뛰어서 센 것입니다.

⑥ 일의 자리 숫자가 1씩 커지고 있으므로 1씩 뛰어서 센 것입니다.

⑦ 백의 자리 숫자가 1씩 커지고 있으므로 100씩 뛰어서 센 것입니다.

⑧ 일의 자리 숫자가 1씩 커지고 있으므로 1씩 뛰어서 센 것입니다.

⑨ 십의 자리 숫자가 1씩 커지고 있으므로 10씩 뛰어서 센 것입니다.

⑩ 백의 자리 숫자가 1씩 커지고 있으므로 100씩 뛰어서 센 것입니다.

30~31쪽	기초 집중 연습

1-1 454, 654, 754, 854, 954
1-2 437, 537, 637, 737, 837
2-1 228, 248, 258, 268, 278
2-2 446, 466, 476, 486, 496
3-1 966　　　　　　**3-2** 513
4-1 723　　　　　　**4-2** 165
5-1 245　　　　　　**5-2** 836
5-3 529　　　　　　**5-4** 437

1-1 백의 자리 숫자가 1씩 커집니다.

2-1 십의 자리 숫자가 1씩 커집니다.

3-1 백의 자리 숫자가 1씩 커지므로 100씩 뛰어서 센 것입니다.
　⇨ 366−466−566−666−766−866−966̲
　　　　　　　　　　　　　　　　　　　　⑴

3-2 일의 자리 숫자가 1씩 커지므로 1씩 뛰어서 센 것입니다.
　⇨ 507−508−509−510−511−512−513̲
　　　　　　　　　　　　　　　　　　　　⑴

4-1 저금통에 돈이 223원 들어 있습니다.
223−323−423−523−623−723이므로
　　　1번　2번　3번　4번　5번
100원씩 5번 넣으면 모두 723원이 됩니다.

4-2 저금통에 돈이 135원 들어 있습니다.
135−145−155−165이므로
　　　1번　2번　3번
10원씩 3번 넣으면 모두 165원이 됩니다.

5-1 215−225−235−245
　　　　　　1번　2번　3번

5-2 436−536−636−736−836
　　　　　　1번　2번　3번　4번

5-3 524−525−526−527−528−529
　　　　　　1번　2번　3번　4번　5번

5-4 387−397−407−417−427−437
　　　　　　1번　2번　3번　4번　5번

33쪽	똑똑한 계산 연습

① <　　　　② >　　　　③ <
④ <　　　　⑤ <　　　　⑥ >
⑦ 675에 ○표　　　⑧ 621에 ○표
⑨ 927에 ○표　　　⑩ 532에 ○표
⑪ 258에 ○표　　　⑫ 684에 ○표

① 472 < 753　　　② 543 > 291
　└4<7┘　　　　　　└5>2┘

③ 738 < 756　　　④ 431 < 435
　└3<5┘　　　　　　└1<5┘

⑤ 854 < 856　　　⑥ 325 > 309
　└4<6┘　　　　　　└2>0┘

⑦ 673 < 675　　　⑧ 483 < 621
　└3<5┘　　　　　　└4<6┘

⑨ 927 > 926　　　⑩ 532 > 530
　└7>6┘　　　　　　└2>0┘

⑪ 258 > 253　　　⑫ 670 < 684
　└8>3┘　　　　　　└7<8┘

35쪽	똑똑한 계산 연습

① 436에 ○표, 165에 △표
② 630에 ○표, 351에 △표
③ 801에 ○표, 636에 △표
④ 132에 ○표, 123에 △표
⑤ 592에 ○표, 508에 △표
⑥ 513에 ○표, 342에 △표
⑦ 208에 ○표, 192에 △표
⑧ 458에 ○표, 452에 △표
⑨ 879에 ○표, 608에 △표
⑩ 716에 ○표, 708에 △표

① 165<233<436　　　② 351<400<630
③ 636<637<801　　　④ 123<130<132
⑤ 508<563<592　　　⑥ 342<409<513
⑦ 192<196<208　　　⑧ 452<456<458
⑨ 608<872<879　　　⑩ 708<713<716

36~37쪽	기초 집중 연습

1-1 >   **1-2** <

2-1 >   **2-2** >

2-3 <   **2-4** >

3-1 352, 365, 369   **3-2** 607, 631, 638

4-1 >   **4-2** <

4-3 >   **4-4** <

5-1 < ; 토마토   **5-2** < ; 농구공

3-1 $352 < 365 < 369$ (5<9, 5<6)

3-2 $607 < 631 < 638$ (1<8, 0<3)

4-1 >

625원   540원

4-2 <

560원   860원

4-3 >

950원   935원

4-4 <

540원   560원

38~39쪽	누구나 100점 맞는 TEST

❶ (1) 600   (2) 400   **❷** (1) 637   (2) 390

❸ 762

❹ (1) 백, 500   (2) 십, 30

❺ (1) 482에 ○표   (2) 284에 ○표

❻ (1) 557, 567   (2) 227, 237

❼ (1) 443, 543   (2) 707, 807

❽ 10   **❾** (○)( )

❿ (1) 425, 576, 584   (2) 332, 354, 526

❺ (1) 십의 자리 숫자를 알아봅니다.

805 → 0, 482 → 8

(2) 십의 자리 숫자를 알아봅니다.

284 → 8, 168 → 6

❽ 십의 자리 숫자가 1씩 커지므로 10씩 뛰어서 센 것입니다.

❿ (1) $425 < 576 < 584$ (7<8, 4<5)

(2) $332 < 354 < 526$ (3<5, 3<5)

40~45쪽	특강	창의 · 융합 · 코딩

융합 1 초록

융합 2 245, 345, 445, 545, 645, 745, 845 ; 845

창의 3 856   **창의 4** 3, 7, 5 ; 375

융합 5 640   **융합 6** 225

창의 7 미나   **창의 8** 100 ; 604

코딩 9 321   **코딩 10** 925

융합 1 352<354<362이므로 가장 작은 수가 적힌 번호표를 뽑은 친구가 가장 먼저 번호표를 뽑았으므로 초록입니다.

창의 3

백의 자리	십의 자리	일의 자리
8	5	6

⇨ 856

창의 4 100점짜리 3번 → 300 ㄱ
10점짜리 7번 → 70 ㅏ ⇨ 375점
1점짜리 5번 → 5 ㄴ

융합 5 100원짜리 동전 5개 → 500원 ㄱ
10원짜리 동전 14개 → 140원 ㄴ ⇨ 640원

융합 6 번호표에 적힌 수의 크기를 비교하면
106<158<221<225이므로 가장 늦게 들어온 사람이 받은 번호표의 수는 225입니다.

창의 7 미나: 101−201−301−401−501−601
⇨ 백의 자리 숫자가 1씩 커지므로 101부터 100씩 커지게 뛰어서 센 것입니다.

형준: 205−206−207−208−209
⇨ 일의 자리 숫자가 1씩 커지므로 205부터 1씩 커지게 뛰어서 센 것입니다.

코딩 9 로봇이 참이라고 했으므로 수 카드에 적힌 수 중 숫자 2가 나타내는 값이 20인 것을 찾습니다.
254 ⇨ 200, 321 ⇨ 20, 682 ⇨ 2

코딩 10 로봇이 거짓이라고 했으므로 수 카드에 적힌 수 중 숫자 5가 나타내는 값이 500이 아닌 것을 찾습니다.
562 ⇨ 500, 581 ⇨ 500, 925 ⇨ 5

덧셈과 뺄셈 (2)

48~49쪽 | 이번에 배울 내용을 알아볼까요? ②

1-1 74	1-2 78
1-3 64	1-4 95
2-1 32	2-2 64
2-3 33	2-4 33

1-1
```
    5 3
  + 2 1
  ─────
    7 4
```

1-2
```
    4 2
  + 3 6
  ─────
    7 8
```

2-3
```
    8 7
  − 5 4
  ─────
    3 3
```

2-4
```
    7 9
  − 4 6
  ─────
    3 3
```

51쪽 | 똑똑한 계산 연습

① 37	② 72	③ 51
④ 44	⑤ 63	⑥ 75
⑦ 81	⑧ 91	⑨ 81
⑩ 63	⑪ 71	⑫ 52

①
```
    1
    2 9
  +   8
  ─────
    3 7
```

②
```
    1
    6 3
  +   9
  ─────
    7 2
```

③
```
    1
    4 6
  +   5
  ─────
    5 1
```

④
```
    1
    3 6
  +   8
  ─────
    4 4
```

⑤
```
    1
    5 7
  +   6
  ─────
    6 3
```

⑥
```
    1
    6 8
  +   7
  ─────
    7 5
```

⑦
```
    1
    7 3
  +   8
  ─────
    8 1
```

⑧
```
    1
    8 5
  +   6
  ─────
    9 1
```

⑨
```
    1
    7 2
  +   9
  ─────
    8 1
```

⑩
```
    1
    5 8
  +   5
  ─────
    6 3
```

53쪽 | 똑똑한 계산 연습

① 92	② 84	③ 81
④ 92	⑤ 82	⑥ 51
⑦ 62	⑧ 73	⑨ 81
⑩ 45	⑪ 80	⑫ 47

①
```
    1
    7 4
  + 1 8
  ─────
    9 2
```

②
```
    1
    6 8
  + 1 6
  ─────
    8 4
```

⑤
```
    1
    5 9
  + 2 3
  ─────
    8 2
```

⑥
```
    1
    3 4
  + 1 7
  ─────
    5 1
```

⑨
```
    1
    5 5
  + 2 6
  ─────
    8 1
```

⑩
```
    1
    2 7
  + 1 8
  ─────
    4 5
```

⑪
```
    1
    2 4
  + 5 6
  ─────
    8 0
```

⑫
```
    1
    2 8
  + 1 9
  ─────
    4 7
```

54~55쪽 | 기초 집중 연습

1-1 65	1-2 31
1-3 64	1-4 40
2-1 74	2-2 81
2-3 82	2-4 52
3-1 35	3-2 41
3-3 61	3-4 52
4-1 53	

4-2 39, 18, 57(또는 18+39=57)

1-1
```
    1
    5 7
  +   8
  ─────
    6 5
```

1-2
```
    1
    2 6
  +   5
  ─────
    3 1
```

1-3
```
    1
    5 8
  +   6
  ─────
    6 4
```

1-4
```
    1
    3 3
  +   7
  ─────
    4 0
```

2-3
```
    1
    6 9
  + 1 3
  ─────
    8 2
```

2-4
```
    1
    3 5
  + 1 7
  ─────
    5 2
```

3-1 26＋9＝35(원)

3-2 38＋3＝41(원)

3-3 25＋36＝61(원)

3-4 34＋18＝52(원)

57쪽		똑똑한 계산 연습
① 124	② 114	③ 127
④ 129	⑤ 136	⑥ 134
⑦ 105	⑧ 125	⑨ 137
⑩ 153	⑪ 147	⑫ 147

③
```
    4 5
  + 8 2
  ─────
  1 2 7
```
④
```
    3 2
  + 9 7
  ─────
  1 2 9
```

⑤
```
    6 1
  + 7 5
  ─────
  1 3 6
```
⑥
```
    5 3
  + 8 1
  ─────
  1 3 4
```

⑦
```
    4 0
  + 6 5
  ─────
  1 0 5
```
⑧
```
    5 2
  + 7 3
  ─────
  1 2 5
```

⑨
```
    4 5
  + 9 2
  ─────
  1 3 7
```
⑩
```
    6 1
  + 9 1
  ─────
  1 5 2
```

⑪
```
    7 6
  + 7 1
  ─────
  1 4 7
```
⑫
```
    8 3
  + 6 4
  ─────
  1 4 7
```

59쪽		똑똑한 계산 연습
① 122	② 111	③ 115
④ 151	⑤ 140	⑥ 114
⑦ 117	⑧ 122	⑨ 151
⑩ 130	⑪ 132	⑫ 131

①
```
    1
    8 7
  + 3 5
  ─────
  1 2 2
```
②
```
    1
    2 8
  + 8 3
  ─────
  1 1 1
```

⑤
```
    1
    7 3
  + 6 7
  ─────
  1 4 0
```
⑥
```
    1
    6 9
  + 4 5
  ─────
  1 1 4
```

⑦
```
    1
    3 9
  + 7 8
  ─────
  1 1 7
```
⑧
```
    1
    7 5
  + 4 7
  ─────
  1 2 2
```

⑨
```
    1
    6 4
  + 8 7
  ─────
  1 5 1
```
⑩
```
    1
    8 4
  + 4 6
  ─────
  1 3 0
```

⑪
```
    1
    9 3
  + 3 9
  ─────
  1 3 2
```
⑫
```
    1
    4 7
  + 8 4
  ─────
  1 3 1
```

60~61쪽		기초 집중 연습
1-1 117		**1-2** 125
1-3 135		**1-4** 143
1-5 134		**1-6** 112
1-7 109		**1-8** 129
2-1 117		**2-2** 119
2-3 171		**3-1** 71, 123
3-2 96, 17, 113		

1-1 62＋55＝117

1-2 53＋72＝125

1-3 54＋81＝135

1-4 81＋62＝143

1-5 46＋88＝134

1-6 33＋79＝112

1-7 42＋67＝109

1-8 91＋38＝129

2-1 54＋63＝117(점)

2-2 46＋73＝119(점)

2-3 96＋75＝171(점)

3-1
```
    5 2
  + 7 1
  ─────
  1 2 3
```

3-2
```
      1
      9 6
  +   1 7
  ─────
  1 1 3
```

1-1 44   **1-2** 51

1-3 18   **1-4** 77

2-1 (위부터) 28, 29, 26

2-2 (위부터) 68, 53, 65

2-3 (위부터) 27, 73, 25

2-4 (위부터) 86, 74, 84

3-1 22   **3-2** 41

3-3 45   **3-4** 53

4-1 13   **4-2** 31, 4, 27

---

① 25   ② 34   ③ 37

④ 48   ⑤ 45   ⑥ 59

⑦ 56   ⑧ 64   ⑨ 62

⑩ 73   ⑪ 76   ⑫ 87

1-1
```
   4 10
   5 0
 -   6
 ─────
   4 4
```

1-2
```
   5 10
   6 0
 -   9
 ─────
   5 1
```

⑦
```
   5 10
   6 0
 -   4
 ─────
   5 6
```

⑧
```
   6 10
   7 0
 -   6
 ─────
   6 4
```

1-3
```
   1 10
   2 1
 -   3
 ─────
   1 8
```

1-4
```
   7 10
   8 4
 -   7
 ─────
   7 7
```

⑨
```
   6 10
   7 0
 -   8
 ─────
   6 2
```

⑩
```
   7 10
   8 0
 -   7
 ─────
   7 3
```

2-1 33－5＝28, 36－7＝29, 33－7＝26

2-2 73－5＝68, 61－8＝53, 73－8＝65

2-3 34－7＝27, 82－9＝73, 34－9＝25

2-4 93－7＝86, 83－9＝74, 93－9＝84

⑪
```
   7 10
   8 0
 -   4
 ─────
   7 6
```

⑫
```
   8 10
   9 0
 -   3
 ─────
   8 7
```

3-1 30－8＝22 (cm)

3-2 50－9＝41 (cm)

3-3 53－8＝45 (cm)

3-4 62－9＝53 (cm)

4-1
```
   1 10
   2 0
 -   7
 ─────
   1 3
```

4-2
```
   2 10
   3 1
 -   4
 ─────
   2 7
```

---

① 25   ② 27   ③ 16

④ 36   ⑤ 46   ⑥ 49

⑦ 53   ⑧ 68   ⑨ 76

⑩ 77   ⑪ 88   ⑫ 68

⑨
```
   7 10
   8 2
 -   6
 ─────
   7 6
```

⑩
```
   7 10
   8 4
 -   7
 ─────
   7 7
```

⑪
```
   8 10
   9 1
 -   3
 ─────
   8 8
```

⑫
```
   6 10
   7 3
 -   5
 ─────
   6 8
```

---

① 28   ② 23   ③ 17

④ 34   ⑤ 26   ⑥ 33

⑦ 21   ⑧ 35   ⑨ 29

⑩ 62   ⑪ 31   ⑫ 37

⑦
$$\begin{array}{r} {\scriptstyle 5\ \ 10} \\ \cancel{6}\ 0 \\ -\ 3\ 9 \\ \hline 2\ 1 \end{array}$$

⑧
$$\begin{array}{r} {\scriptstyle 6\ \ 10} \\ \cancel{7}\ 0 \\ -\ 3\ 5 \\ \hline 3\ 5 \end{array}$$

2-1
$$\begin{array}{r} {\scriptstyle 3\ \ 10} \\ \cancel{4}\ 0 \\ -\ 2\ 4 \\ \hline 1\ 6 \end{array},\quad \begin{array}{r} {\scriptstyle 4\ \ 10} \\ \cancel{5}\ 0 \\ -\ 1\ 5 \\ \hline 3\ 5 \end{array},\quad \begin{array}{r} {\scriptstyle 7\ \ 10} \\ \cancel{8}\ 0 \\ -\ 3\ 6 \\ \hline 4\ 4 \end{array}$$

⑨
$$\begin{array}{r} {\scriptstyle 6\ \ 10} \\ \cancel{7}\ 0 \\ -\ 4\ 1 \\ \hline 2\ 9 \end{array}$$

⑩
$$\begin{array}{r} {\scriptstyle 7\ \ 10} \\ \cancel{8}\ 0 \\ -\ 1\ 8 \\ \hline 6\ 2 \end{array}$$

2-2
$$\begin{array}{r} {\scriptstyle 4\ \ 10} \\ \cancel{5}\ 0 \\ -\ 2\ 9 \\ \hline 2\ 1 \end{array},\quad \begin{array}{r} {\scriptstyle 5\ \ 10} \\ \cancel{6}\ 0 \\ -\ 3\ 8 \\ \hline 2\ 2 \end{array},\quad \begin{array}{r} {\scriptstyle 6\ \ 10} \\ \cancel{7}\ 0 \\ -\ 4\ 7 \\ \hline 2\ 3 \end{array}$$

⑪
$$\begin{array}{r} {\scriptstyle 7\ \ 10} \\ \cancel{8}\ 0 \\ -\ 4\ 9 \\ \hline 3\ 1 \end{array}$$

⑫
$$\begin{array}{r} {\scriptstyle 8\ \ 10} \\ \cancel{9}\ 0 \\ -\ 5\ 3 \\ \hline 3\ 7 \end{array}$$

2-3
$$\begin{array}{r} {\scriptstyle 2\ \ 10} \\ \cancel{3}\ 2 \\ -\ 1\ 9 \\ \hline 1\ 3 \end{array},\quad \begin{array}{r} {\scriptstyle 3\ \ 10} \\ \cancel{4}\ 3 \\ -\ 1\ 9 \\ \hline 2\ 4 \end{array},\quad \begin{array}{r} {\scriptstyle 4\ \ 10} \\ \cancel{5}\ 1 \\ -\ 1\ 9 \\ \hline 3\ 2 \end{array}$$

2-4
$$\begin{array}{r} {\scriptstyle 6\ \ 10} \\ \cancel{7}\ 4 \\ -\ 1\ 8 \\ \hline 5\ 6 \end{array},\quad \begin{array}{r} {\scriptstyle 5\ \ 10} \\ \cancel{6}\ 5 \\ -\ 1\ 8 \\ \hline 4\ 7 \end{array},\quad \begin{array}{r} {\scriptstyle 4\ \ 10} \\ \cancel{5}\ 6 \\ -\ 1\ 8 \\ \hline 3\ 8 \end{array}$$

71쪽		똑똑한 계산 연습
① 16	② 25	③ 15
④ 48	⑤ 36	⑥ 36
⑦ 39	⑧ 28	⑨ 29
⑩ 47	⑪ 69	⑫ 74

3-1
$$\begin{array}{r} {\scriptstyle 4\ \ 10} \\ \cancel{5}\ 0 \\ -\ 1\ 9 \\ \hline 3\ 1 \end{array}$$

3-2
$$\begin{array}{r} {\scriptstyle 6\ \ 10} \\ \cancel{7}\ 1 \\ -\ 2\ 8 \\ \hline 4\ 3 \end{array}$$

⑦
$$\begin{array}{r} {\scriptstyle 4\ \ 10} \\ \cancel{5}\ 1 \\ -\ 1\ 2 \\ \hline 3\ 9 \end{array}$$

⑧
$$\begin{array}{r} {\scriptstyle 5\ \ 10} \\ \cancel{6}\ 5 \\ -\ 3\ 7 \\ \hline 2\ 8 \end{array}$$

3-3
$$\begin{array}{r} {\scriptstyle 1\ \ 10} \\ \cancel{2}\ 8 \\ -\ 1\ 9 \\ \hline 9 \end{array}$$

3-4
$$\begin{array}{r} {\scriptstyle 4\ \ 10} \\ \cancel{5}\ 0 \\ -\ 2\ 8 \\ \hline 2\ 2 \end{array}$$

⑨
$$\begin{array}{r} {\scriptstyle 3\ \ 10} \\ \cancel{4}\ 8 \\ -\ 1\ 9 \\ \hline 2\ 9 \end{array}$$

⑩
$$\begin{array}{r} {\scriptstyle 6\ \ 10} \\ \cancel{7}\ 3 \\ -\ 2\ 6 \\ \hline 4\ 7 \end{array}$$

4-1
$$\begin{array}{r} {\scriptstyle 6\ \ 10} \\ \cancel{7}\ 2 \\ -\ 5\ 5 \\ \hline 1\ 7 \end{array}$$

4-2
$$\begin{array}{r} {\scriptstyle 8\ \ 10} \\ \cancel{9}\ 1 \\ -\ 5\ 9 \\ \hline 3\ 2 \end{array}$$

⑪
$$\begin{array}{r} {\scriptstyle 7\ \ 10} \\ \cancel{8}\ 2 \\ -\ 1\ 3 \\ \hline 6\ 9 \end{array}$$

⑫
$$\begin{array}{r} {\scriptstyle 8\ \ 10} \\ \cancel{9}\ 1 \\ -\ 1\ 7 \\ \hline 7\ 4 \end{array}$$

75쪽	똑똑한 계산 연습
① 60, 90	② 93, 90
③ 66, 71	④ 75, 71
⑤ 68, 71	⑥ 50, 71
⑦ 37, 43	⑧ 30, 43

72~73쪽	기초 집중 연습
1-1 23	**1-2** 22
1-3 44	**1-4** 27
2-1 16, 35, 44	
2-2 21, 22, 23	
2-3 13, 24, 32	
2-4 56, 47, 38	
3-1 31	**3-2** 43
3-3 28, 19, 9	**3-4** 50, 28, 22
4-1 17	**4-2** 91, 59, 32

①
$$57+33=57+3+30$$
$$=60+30$$
$$=90$$

②
$$57+33=60+33-3$$
$$=93-3$$
$$=90$$

③
$$56+15=56+10+5$$
$$=66+5$$
$$=71$$

④ $56+15=60+15-4$
$\qquad =75-4$
$\qquad =71$

⑤ $48+23=48+20+3$
$\qquad =68+3$
$\qquad =71$

⑥ $48+23=48+2+21$
$\qquad =50+21$
$\qquad =71$

⑦ $27+16=27+10+6$
$\qquad =37+6$
$\qquad =43$

⑧ $27+16=27+3+13$
$\qquad =30+13$
$\qquad =43$

77쪽	똑똑한 계산 연습

① 67, 59		② 70, 59	
③ 50, 39		④ 35, 39	
⑤ 56, 49		⑥ 46, 49	
⑦ 54, 55		⑧ 80, 55	

② $77-18=77-7-11$
$\qquad =70-11$
$\qquad =59$

③ $55-16=55-5-11$
$\qquad =50-11$
$\qquad =39$

④ $55-16=55-20+4$
$\qquad =35+4$
$\qquad =39$

⑤ $76-27=76-20-7$
$\qquad =56-7$
$\qquad =49$

⑥ $76-27=76-30+3$
$\qquad =46+3$
$\qquad =49$

⑦ $84-29=84-30+1$
$\qquad =54+1$
$\qquad =55$

⑧ $84-29=84-4-25$
$\qquad =80-25$
$\qquad =55$

78~79쪽	기초 집중 연습

1-1 40, 60, 74	**1-2** 20, 55, 62
1-3 20, 60, 74	**1-4** 30, 87, 93
1-5 62, 52, 43	**1-6** 20, 58, 59
1-7 20, 33, 36	**1-8** 20, 53, 45
2-1 풀이 참조	**2-2** 풀이 참조
3-1 20, 3, 72	**3-2** 6, 72
3-3 20, 3, 47	**3-4** 30, 4, 59

1-1 $29+45$
$\qquad =20+9+40+5$
$\qquad =60+14=74$

1-2 $35+27$
$\qquad =35+20+7$
$\qquad =55+7=62$

1-3 $46+28$
$\qquad =40+6+20+8$
$\qquad =60+14=74$

1-4 $57+36$
$\qquad =57+30+6$
$\qquad =87+6=93$

1-5 $62-19$
$\qquad =62-10-9$
$\qquad =52-9=43$

1-6 $78-19$
$\qquad =78-20+1$
$\qquad =58+1=59$

1-7 $53-17$
$\qquad =53-20+3$
$\qquad =33+3=36$

1-8 $73-28$
$\qquad =73-20-8$
$\qquad =53-8=45$

정답 및 풀이

2-1 [방법 1] [예] $28+39=28+30+9$
$\qquad\qquad\quad =58+9$
$\qquad\qquad\quad =67$

[방법 2] [예] $28+39=20+8+30+9$
$\qquad\qquad\quad =50+17$
$\qquad\qquad\quad =67$

2-2 [방법 1] [예] $62-38=62-30-8$
$\qquad\qquad\quad =32-8$
$\qquad\qquad\quad =24$

[방법 2] [예] $62-38=62-40+2$
$\qquad\qquad\quad =22+2$
$\qquad\qquad\quad =24$

80~81쪽 누구나 100점 맞는 TEST

❶ 84		❷ 31	
❸ 81		❹ 64	
❺ 148		❻ 124	
❼ 16		❽ 47	
❾ 21		❿ 67	
⓫ 90		⓬ 64	
⓭ 127		⓮ 162	
⓯ 82		⓰ 111	
⓱ 37		⓲ 36	
⓳ 16		⓴ 39	

❶
$$\begin{array}{r} {\scriptstyle 1}\;\;\\ 7\,9 \\ +\;\;5 \\ \hline 8\,4 \end{array}$$

❷
$$\begin{array}{r} {\scriptstyle 1}\;\;\\ 2\,8 \\ +\;\;3 \\ \hline 3\,1 \end{array}$$

❸
$$\begin{array}{r} {\scriptstyle 1}\;\;\\ 2\,7 \\ +\,5\,4 \\ \hline 8\,1 \end{array}$$

❹
$$\begin{array}{r} {\scriptstyle 1}\;\;\\ 4\,5 \\ +\,1\,9 \\ \hline 6\,4 \end{array}$$

❺
$$\begin{array}{r} 6\,6 \\ +\,8\,2 \\ \hline 1\,4\,8 \end{array}$$

❻
$$\begin{array}{r} {\scriptstyle 1}\;\;\\ 4\,9 \\ +\,7\,5 \\ \hline 1\,2\,4 \end{array}$$

❼
$$\begin{array}{r} {\scriptstyle 1\;10}\\ \not2\,4 \\ -\;\;8 \\ \hline 1\,6 \end{array}$$

❽
$$\begin{array}{r} {\scriptstyle 4\;10}\\ \not5\,0 \\ -\;\;3 \\ \hline 4\,7 \end{array}$$

❾
$$\begin{array}{r} {\scriptstyle 6\;10}\\ \not7\,0 \\ -\,4\,9 \\ \hline 2\,1 \end{array}$$

❿
$$\begin{array}{r} {\scriptstyle 7\;10}\\ \not8\,4 \\ -\,1\,7 \\ \hline 6\,7 \end{array}$$

⓫
$$\begin{array}{r} {\scriptstyle 1}\;\;\\ 8\,2 \\ +\;\;8 \\ \hline 9\,0 \end{array}$$

⓬
$$\begin{array}{r} {\scriptstyle 1}\;\;\\ 4\,6 \\ +\,1\,8 \\ \hline 6\,4 \end{array}$$

⓭
$$\begin{array}{r} 3\,2 \\ +\,9\,5 \\ \hline 1\,2\,7 \end{array}$$

⓮
$$\begin{array}{r} {\scriptstyle 1}\;\;\\ 7\,9 \\ +\,8\,3 \\ \hline 1\,6\,2 \end{array}$$

⓯
$$\begin{array}{r} {\scriptstyle 1}\;\;\\ 3\,4 \\ +\,4\,8 \\ \hline 8\,2 \end{array}$$

⓰
$$\begin{array}{r} {\scriptstyle 1}\;\;\\ 6\,3 \\ +\,4\,8 \\ \hline 1\,1\,1 \end{array}$$

⓱
$$\begin{array}{r} {\scriptstyle 3\;10}\\ \not4\,0 \\ -\;\;3 \\ \hline 3\,7 \end{array}$$

⓲
$$\begin{array}{r} {\scriptstyle 5\;10}\\ \not6\,0 \\ -\,2\,4 \\ \hline 3\,6 \end{array}$$

82~87쪽 특강 창의·융합·코딩

창의1 $32, 45, 39$; 초록

창의2 (위부터) ㉢, ㉣, ㉤, ㉠

융합3 (1) $6, 36$; 36 (2) $61, 7, 54$; 54

창의4 나천재

창의5 (1) $\boxed{2}\,\boxed{9}+\boxed{3}=\boxed{4}\,\boxed{1}$; $39+2=41$

(2) $\boxed{2}\,\boxed{3}-\boxed{1}=\boxed{7}\,\boxed{6}$; $23-7=16$

(3) $\boxed{4}\,\boxed{1}+\boxed{3}=\boxed{5}\,\boxed{8}$; $48+3=51$

(4) $\boxed{8}\,\boxed{1}-\boxed{5}=\boxed{4}\,\boxed{3}$; $51-8=43$

코딩6 (1) $7, 34$; 34 (2) $85, 7, 78$; 78

창의2 $34+17=51,\ 70-22=48,$
$83-27=56,\ 45+39=84$

창의4 사건 단서 ① $28+29=57$
사건 단서 ② $18+34=52$
사건 단서 ③ $87+45=132$

3주 · 덧셈과 뺄셈 (2)

이번에 배울 내용을 알아볼까요? ②

1-1 82	**1-2** 117
1-3 130	**1-4** 153
2-1 37	**2-2** 35
2-3 65	**2-4** 17

1-1
```
    1
    6 5
  + 1 7
  ─────
    8 2
```

1-2
```
    9 3
  + 2 4
  ─────
  1 1 7
```

1-3
```
    1
    5 6
  + 7 4
  ─────
  1 3 0
```

1-4
```
    1
    8 8
  + 6 5
  ─────
  1 5 3
```

2-1
```
  5 10
  6̸ 0
  - 2 3
  ─────
    3 7
```

2-2
```
  4 10
  5̸ 0
  - 1 5
  ─────
    3 5
```

2-3
```
  7 10
  8̸ 1
  - 1 6
  ─────
    6 5
```

2-4
```
  2 10
  3̸ 6
  - 1 9
  ─────
    1 7
```

93쪽 **똑똑한 계산 연습**

① 28 ; 64, 28
② 47 ; 47   ③ 55 ; 25
④ 16 ; 85, 16   ⑤ 27 ; 41, 14
⑥ 54, 38 ; 92, 54 ⑦ 72, 29 ; 29, 43

① 덧셈식을 뺄셈식 2가지로 나타낼 수 있습니다.

②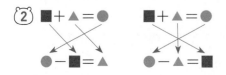

95쪽 **똑똑한 계산 연습**

① 19 ; 19, 57
② 43 ; 15   ③ 34 ; 34
④ 12 ; 12, 80   ⑤ 49 ; 49, 28
⑥ 49, 65 ; 49, 65 ⑦ 59, 93 ; 59, 34

① 뺄셈식을 덧셈식 2가지로 나타낼 수 있습니다.

②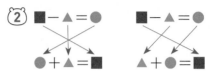

96~97쪽 **기초 집중 연습**

1-1 23 ; 48, 23   **1-2** 39 ; 39, 64
2-1 $43-29=14$; $43-14=29$
2-2 $60-17=43$; $60-43=17$
3-1 $47+37=84$; $37+47=84$
3-2 $28+44=72$; $44+28=72$
4-1 14 ; 6 ; 6, 8
4-2 9, 16 ; 7, 9 ; 16, 9, 7
5-1 예 26, 59 ; 예 26, 59
5-2 예 $18+45=63$; 예 $63-18=45$

4-1 • (전체 사탕 수) − (포도맛 사탕 수)
= (사과맛 사탕 수)
• (전체 사탕 수) − (사과맛 사탕 수)
= (포도맛 사탕 수)

4-2 • (전체 사탕 수) − (레몬맛 사탕 수)
= (딸기맛 사탕 수)
• (전체 사탕 수) − (딸기맛 사탕 수)
= (레몬맛 사탕 수)

5-1 수 카드를 사용하여 만들 수 있는 덧셈식은
$26+59=85$, $59+26=85$이고
뺄셈식은 $85-26=59$, $85-59=26$입니다.

5-2 수 카드를 사용하여 만들 수 있는 덧셈식은
$18+45=63$, $45+18=63$이고,
뺄셈식은 $63-18=45$, $63-45=18$입니다.

99쪽 **똑똑한 계산 연습**

① $5+\square=12$ ② $\square+9=14$
③ $7+\square=13$ ④ $6+\square=10$
⑤ $\square+8=16$ ⑥ $\square+4=11$

① 모르는 수를 $\square$로 나타내어 덧셈식을 세웁니다.
물고기 5마리와 몇 마리를 더하여 모두 12마리
입니다.
⇨ $5+\square=12$

101쪽 **똑똑한 계산 연습**

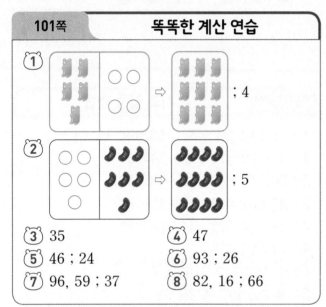

③ 35 ④ 47
⑤ 46 ; 24 ⑥ 93 ; 26
⑦ 96, 59 ; 37 ⑧ 82, 16 ; 66

① 빈칸에 ○를 4개 그리면 양쪽이 서로 같아집니다.

② 빈칸에 ○를 5개 그리면 양쪽이 서로 같아집니다.

③ 덧셈식을 뺄셈식으로 바꾸어 ●의 값을 구합니다.
$17+●=52$ ⇨ $52-17=●$, $●=35$

102~103쪽 **기초 집중 연습**

1-1 $\square+15=34$ 1-2 $23+\square=51$
2-1 6 2-2 24
2-3 25 2-4 36
2-5 28 2-6 39
3-1 $3+\square=8$ 3-2 $\square+2=7$
4-1 17, 23 ; 6 4-2 $■+28=44$; 16

2-1 $18+\square=24$
⇨ $24-18=\square$, $\square=6$

2-2 $\square+16=40$
⇨ $40-16=\square$, $\square=24$

2-3 $58+\square=83$
⇨ $83-58=\square$, $\square=25$

2-4 $\square+27=63$
⇨ $63-27=\square$, $\square=36$

2-5 $27+\square=55$
⇨ $55-27=\square$, $\square=28$

2-6 $\square+33=72$
⇨ $72-33=\square$, $\square=39$

3-1 더 온 친구의 수를 $\square$로 나타냅니다.
⇨ $3+\square=8$

3-2 먼저 놀고 있던 친구의 수를 $\square$로 나타냅니다.
⇨ $\square+2=7$

4-1 어떤 수를 ■로 하여 덧셈식을 만듭니다.
$17+■=23$ ⇨ $23-17=■$, $■=6$

4-2 어떤 수를 ■로 하여 덧셈식을 만듭니다.
$■+28=44$ ⇨ $44-28=■$, $■=16$

105쪽 **똑똑한 계산 연습**

① $10-\square=3$ ② $15-\square=8$
③ $12-\square=5$ ④ $14-\square=6$
⑤ $\square-3=8$ ⑥ $\square-4=7$

① 뺀 수를 모르므로 $\square$로 나타내어 뺄셈식을 세웁
니다.
장난감 자동차 10대에서 몇 대를 빼면 3대가 됩
니다.
⇨ $10-\square=3$

⑤ 처음의 수를 모르므로 $\square$로 나타내어 뺄셈식을
세웁니다.
요요 몇 개에서 3개를 빼면 8개가 됩니다.
⇨ $\square-3=8$

① 예 ; 6

② 예 ; 9

③ 16　　　　④ 36

⑤ 95 ; 26　　⑥ 38 ; 71

⑦ 70, 17 ; 53　⑧ 15, 77 ; 92

① 13개에서 7개가 남도록 6개를 지웁니다.

② 20개에서 11개가 남도록 9개를 지웁니다.

③ 뺄셈식을 뺄셈식으로 바꾸어 ●의 값을 구합니다.
32−●=16 ⇨ 32−16=●, ●=16

④ 뺄셈식을 덧셈식으로 바꾸어 ●의 값을 구합니다.
●−27=9 ⇨ 9+27=●, ●=36

108~109쪽 | **기초 집중 연습**

1-1 50−□=21　　　1-2 □−24=38

2-1 7　　　　　　2-2 52

2-3 28　　　　　2-4 91

2-5 53　　　　　2-6 61

3-1 12−□=3　　　3-2 20−□=5

4-1 87, 59 ; 28　　4-2 ■−46=14 ; 60

2-1 20−□=13
⇨ 20−13=□, □=7

2-2 □−26=26
⇨ 26+26=□, □=52

2-3 46−□=18
⇨ 46−18=□, □=28

2-4 □−54=37
⇨ 37+54=□, □=91

3-1 친구에게 준 연필 수를 □로 나타냅니다.
⇨ 12−□=3

4-1 어떤 수를 ■로 하여 뺄셈식을 만듭니다.
87−■=59 ⇨ 87−59=■, ■=28

4-2 어떤 수를 ■로 하여 뺄셈식을 만듭니다.
■−46=14 ⇨ 14+46=■, ■=60

111쪽 | **똑똑한 계산 연습**

(계산 순서대로)

① 28, 82, 82　　② 24, 51, 51

③ 42, 90, 90　　④ 45, 59, 59

⑤ 35, 60, 60　　⑥ 60, 79, 79

⑦ 31, 68, 68　　⑧ 72, 93, 93

① 앞에서부터 차례로 계산합니다.
13+15+54=82
28
82

⑤ 뒤의 두 수를 먼저 더한 후 나머지 한 수를 더합니다.
25+27+8=60
35
60

113쪽 | **똑똑한 계산 연습**

(계산 순서대로)

① 25, 6, 6　　② 37, 19, 19

③ 34, 7, 7　　④ 57, 28, 28

⑤ 73, 37, 37　　⑥ 79, 33, 33

⑦ 46, 19, 19　　⑧ 24, 15, 15

① 앞에서부터 차례로 계산합니다.
32−7−19=6
25
6

114~115쪽   기초 집중 연습

1-1 (계산 순서대로) 41, 41, 84, 84
1-2 (계산 순서대로) 46, 46, 14, 14
2-1 59   **2-2** 30
2-3 92   **2-4** 28
2-5 83   **2-6** 24
3-1 68   **3-2** 45
4-1 46   **4-2** 12, 36
4-3 26   **4-4** 9, 22

2-1 $35+8+16=43+16=59$

2-2 $52-17-5=35-5=30$

2-3 $51+13+28=64+28=92$

2-4 $80-23-29=57-29=28$

2-5 $27+44+12=71+12=83$

2-6 $93-52-17=41-17=24$

3-1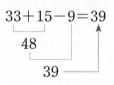
　$=37+14+17$
　$=51+17=68$(상자)

3-2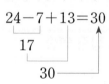
　$=16+5+24$
　$=21+24=45$(상자)

4-1 장미, 튤립, 해바라기의 수를 모두 더합니다.
　⇨ $23+15+8=38+8=46$(송이)

4-2 감자, 양파, 당근의 수를 모두 더합니다.
　⇨ $17+7+12=24+12=36$(개)

4-3 (전체 색종이 수) − (종이학을 만든 색종이 수)
　− (종이비행기를 만든 색종이 수)
　= (남는 색종이 수)
　⇨ $64-12-26=52-26=26$(장)

4-4 (전체 색종이 수) − (종이배를 만든 색종이 수)
　− (바람개비를 만든 색종이 수)
　= (남는 색종이 수)
　⇨ $58-27-9=31-9=22$(장)

117쪽   똑똑한 계산 연습

(계산 순서대로)
① 48, 39, 39   ② 61, 38, 38
③ 55, 17, 17   ④ 82, 63, 63
⑤ 76, 38, 38   ⑥ 70, 52, 52
⑦ 51, 27, 27   ⑧ 71, 26, 26

① 앞에서부터 차례로 계산합니다.

$$33+15-9=39$$
$$48$$
$$39$$

119쪽   똑똑한 계산 연습

(계산 순서대로)
① 17, 30, 30   ② 18, 27, 27
③ 36, 61, 61   ④ 57, 95, 95
⑤ 36, 64, 64   ⑥ 63, 80, 80
⑦ 25, 41, 41   ⑧ 4, 36, 36

① 앞에서부터 차례로 계산합니다.

$$24-7+13=30$$
$$17$$
$$30$$

120~121쪽   기초 집중 연습

1-1 (계산 순서대로) 90, 90, 39, 39
1-2 (계산 순서대로) 55, 55, 74, 74
2-1 28   **2-2** 65   **2-3** 45
2-4 60   **2-5** 37   **2-6** 71
3-1 17   **3-2** 25
4-1 21   **4-2** 8, 29

1-1 세 수의 계산은 앞에서부터 차례로 계산합니다.

$$73+17-51=39$$

$$\begin{array}{r} 1 \\ 7\,3 \\ +\,1\,7 \\ \hline 9\,0 \end{array} \qquad \begin{array}{r} 8\ 10 \\ \not9\,0 \\ -\,5\,1 \\ \hline 3\,9 \end{array}$$

2-1 $37+6-15=43-15=28$

2-2 $70-24+19=46+19=65$

2-3 $56+18-29=74-29=45$

2-4 $48-11+23=37+23=60$

2-5 $22+61-46=83-46=37$

2-6 $95-57+33=38+33=71$

3-1 더 넣은 배구공 수는 더하고 빼낸 배구공 수는 뺍니다.
⇨ $25+8-16=33-16=17$(개)

3-2 더 넣은 축구공 수는 더하고 빼낸 축구공 수는 뺍니다.
⇨ $17+13-5=30-5=25$(개)

4-1 내린 사람 수는 빼고 더 탄 사람 수는 더합니다.
⇨ $24-10+7=14+7=21$(명)

4-2 내린 사람 수는 빼고 더 탄 사람 수는 더합니다.
⇨ $12-8+25=4+25=29$(명)

122~123쪽 **누구나 100점 맞는 TEST**

1 7 ; 38, 7   **2** 34, 29 ; 63, 34

3 4 ; 4, 50   **4** 59, 74 ; 15, 59

5 16   **6** 45

7 17   **8** 82

9 72   **10** 38

11 58   **12** 66

13 27   **14** 12

15 54   **16** 65

17 89   **18** 19

19 77   **20** 51

1 ■＋▲＝● ⇨ [●－▲＝■
              ●－■＝▲]

3 ■－▲＝● ⇨ [●＋▲＝■
              ▲＋●＝■]

5 ◯＋24＝40
⇨ $40-24=◯$, $◯=16$

---

6 $37+◯=82$
⇨ $82-37=◯$, $◯=45$

7 $43-◯=26$
⇨ $43-26=◯$, $◯=17$

8 $◯-14=68$
⇨ $68+14=82$

9 $◯-19=53$
⇨ $53+19=◯$, $◯=72$

10 $95-◯=57$
⇨ $95-57=◯$, $◯=38$

11 $35-6+29=58$
  29
  58

12 $23+24+19=66$
  47
  66

13 $31+12-16=27$
  43
  27

14 $73-46-15=12$
  27
  12

15 $13+48-7=54$
  61
  54

16 $80-29+14=65$
  51
  65

17 $16+58+15=89$
  74
  89

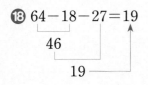

정답 및 풀이

⑱ $64-18-27=19$

$\qquad$ 46

$\qquad$ 19

⑲ $37+4+36=77$

$\qquad$ 41

$\qquad$ 77

⑳ $45+25-19=51$

$\qquad$ 70

$\qquad$ 51

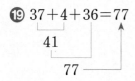

124~129쪽 **특강** **창의·융합·코딩**

창의**1** 15 ; 6, 15 ; 15, 21

융합**2** 신사임당

융합**3** 45

융합**4** 73

창의**5** (예) $38+56=94$; (예) $94-38=56$

창의**6** 45, 7, 74

창의**7** (왼쪽부터) 27, 34, 14

코딩**8** 85

창의**9**

; 놀이동산

융합**10** 41

융합**2** $36+15+8=51+8=59,$
$84-21-17=63-17=46,$
$45+27-34=72-34=38,$
$32-25+61=7+61=68$

융합**3** $17+□=62$
$\Rightarrow 62-17=□, □=45$

융합**4** (토마토 수)+(딸기 수)+(수박 수)
$=14+52+7=66+7=73(개)$

창의**5** 덧셈식: 작은 두 수를 더합니다.
$\Rightarrow 38+56=94$ 또는 $56+38=94$
뺄셈식: 가장 큰 수에서 뺍니다.
$\Rightarrow 94-38=56$ 또는 $94-56=38$

창의**6**

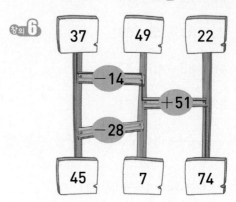

$37-14+51=23+51=74$
$49-14-28=35-28=7$
$22+51-28=73-28=45$

창의**7**

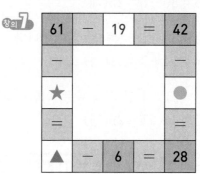

$42-●=28 \Rightarrow 42-28=●, ●=14,$
$▲-6=28 \Rightarrow 28+6=▲, ▲=34,$
$61-★=34 \Rightarrow 61-34=★, ★=27$

코딩**8**

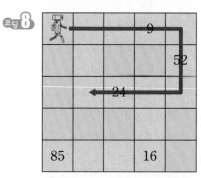

로봇이 지나간 길에 있는 수: 9, 52, 24
$\Rightarrow 9+52+24=61+24=85$

창의**9** $7+□=20 \Rightarrow 20-7=□, □=13,$
$□-23=18 \Rightarrow 18+23=□, □=41,$
$61-□=35 \Rightarrow 61-35=□, □=26$

코딩**10** ⅩⅥ → 16, ⅩⅩⅤ → 25
$\Rightarrow 16+25=41$

132~133쪽 | 이번에 배울 내용을 알아볼까요? ②

1-1 60   **1-2** 80

1-3 75   **1-4** 57

2-1 (계산 순서대로) 82, 59, 59

2-2 (계산 순서대로) 81, 55, 55

2-3 (계산 순서대로) 47, 61, 61

2-4 (계산 순서대로) 46, 81, 81

1-1 10개씩 묶어 보면 10개씩 묶음이 6개이므로 60개입니다.

1-2 10개씩 묶어 보면 10개씩 묶음이 8개이므로 80개입니다.

1-3 10개씩 묶음 7개와 낱개 5개이므로 75개입니다.

1-4 10개씩 묶음 5개와 낱개 7개이므로 57개입니다.

2-1 $44+38-23=82-23=59$

2-2 $15+66-26=81-26=55$

2-3 $82-35+14=47+14=61$

2-4 $62-16+35=46+35=81$

135쪽 | 똑똑한 계산 연습

① 5 ; 6, 8, 10 ; 10   ② 4 ; 12, 16 ; 16

③ 3 ; 15 ; 15   ④ 4 ; 18, 24 ; 24

⑤ 2, 14   ⑥ 3, 27

① 2개씩 5묶음이므로 모두 10개입니다.

② 4개씩 4묶음이므로 모두 16개입니다.

③ 5개씩 3묶음이므로 모두 15개입니다.

④ 6개씩 4묶음이므로 모두 24개입니다.

⑤ 7개씩 2묶음이므로 모두 14개입니다.

⑥ 9개씩 3묶음이므로 모두 27개입니다.

137쪽 | 똑똑한 계산 연습

① (왼쪽부터) 5, 4, 20

② (왼쪽부터) 7, 3, 21

③ (왼쪽부터) 8, 4, 2, 16

④ (왼쪽부터) 9, 6, 4, 36

① 4씩 묶으면 5묶음이고 5씩 묶으면 4묶음입니다.

② 3씩 묶으면 7묶음이고 7씩 묶으면 3묶음입니다.

③ 2씩 묶으면 8묶음, 4씩 묶으면 4묶음, 8씩 묶으면 2묶음입니다.

④ 4씩 묶으면 9묶음, 6씩 묶으면 6묶음, 9씩 묶으면 4묶음입니다.

138~139쪽 | 기초 집중 연습

1-1 3, 18   **1-2** 3, 21

1-3 5, 20   **1-4** 8, 32

2-1 8, 4 ; 16   **2-2** 8, 6 ; 24

3-1 4, 16   **3-2** 2, 12

3-3 3, 6   **3-4** 4, 20

4-1 56   **4-2** 36

4-3 24   **4-4** 30

1-1 6씩 3묶음이므로 모두 18마리입니다.

1-2 7씩 3묶음이므로 모두 21마리입니다.

1-3 5씩 4묶음이므로 모두 20마리입니다.

1-4 8씩 4묶음이므로 모두 32마리입니다.

2-1 2씩 묶으면 8묶음, 4씩 묶으면 4묶음입니다.

2-2 3씩 묶으면 8묶음, 4씩 묶으면 6묶음입니다.

3-1 4씩 묶어 세면 4씩 4묶음이므로 16개입니다.

3-2 6씩 묶어 세면 6씩 2묶음이므로 12개입니다.

3-3 2씩 묶어 세면 2씩 3묶음이므로 6개입니다.

3-4 5씩 묶어 세면 5씩 4묶음이므로 20개입니다.

정답

풀이

정답 및 풀이

141쪽 **똑똑한 계산 연습**

① 6   ② 4, 4
③ 5, 5   ④ 5, 5
⑤ 5, 5   ⑥ 3, 3
⑦ 9, 9   ⑧ 7, 7

① 2씩 6묶음 ⇨ 2의 6배

⑧ 6씩 7묶음 ⇨ 6의 7배

참고

■씩 ▲묶음 ⇨ ■의 ▲배

143쪽   **똑똑한 계산 연습**

① 2, 3   ② 3, 8
③ 4, 4   ④ 5, 3
⑤ 6, 4   ⑥ 7, 3
⑦ 8, 3   ⑧ 9, 4

① 빨간색 사과 수는 초록색 사과 수의 3배입니다.

② 빨간색 사과 수는 초록색 사과 수의 8배입니다.

144~145쪽   **기초 집중 연습**

1-1 5, 6, 5   1-2 4, 4, 4
1-3 7, 2, 7
2-1 3, 9   2-2 8, 2
2-3 5, 5   2-4 7, 4
2-5 9   2-6 4
3-1 3, 6, 5   3-2 8, 4, 2
4-1 4   4-2 8
4-3 3   4-4 7

2-1 3씩 9묶음 ⇨ 3의 9배

2-2 8씩 2묶음 ⇨ 8의 2배

2-4 7씩 4묶음 ⇨ 7의 4배

3-1 딸기: 6개, 귤: 18개, 자두: 36개, 배: 30개

3-2 딸기: 3개, 복숭아: 24개, 사과: 12개, 수박: 6개

4-1 $9+9+9+9=36$ ⇨ 36은 9의 4배입니다.
       4번

4-2 $4+4+4+4+4+4+4+4=32$
                8번
    ⇨ 32는 4의 8배입니다.

4-3 $6+6+6=18$ ⇨ 18은 6의 3배입니다.
      3번

4-4 $5+5+5+5+5+5+5=35$
            7번
    ⇨ 35는 5의 7배입니다.

147쪽   **똑똑한 계산 연습**

① 3   ② 4
③ 3   ④ 4
⑤ 6   ⑥ 5
⑦ 7   ⑧ 8

149쪽   **똑똑한 계산 연습**

① 3 곱하기 5는 15와 같습니다.
② 6 곱하기 7은 42와 같습니다.
③ 9 곱하기 3은 27과 같습니다.
④ $4 \times 9 = 36$ ⑤ $3 \times 7 = 21$
⑥ $2 \times 8 = 16$ ⑦ $5 \times 5 = 25$
⑧ $7 \times 2 = 14$ ⑨ $8 \times 6 = 48$

150~151쪽	기초 집중 연습

1-1 4   **1-2** 3

1-3 3, 4   **1-4** 6, 6

2-1 ( )(×)( )   **2-2** (×)( )( )

3-1 4, 4, 24   **3-2** 3, 3, 27

4-1 8, 40   **4-2** 8, 56

4-3 6, 3, 18   **4-4** 8, 8, 64

1-1 $4+4+4+4 \Rightarrow 4 \times 4$

　　　　4번

1-3 $3+3+3+3 \Rightarrow 3 \times 4$

　　　　4번

2-1 3씩 5묶음 $\Rightarrow$ 3의 5배

　　$\Rightarrow 3+3+3+3+3=15 \Rightarrow 3 \times 5 = 15$

　　　　　　5번

2-2 9씩 4묶음 $\Rightarrow$ 9의 4배

　　$\Rightarrow 9+9+9+9=36 \Rightarrow 9 \times 4 = 36$

　　　　　　4번

3-1 (영탁이가 구입한 호박 수)$=6 \times 4 = 24$(개)

3-2 (민하가 구입한 호박 수)$=9 \times 3 = 27$(개)

153쪽	똑똑한 계산 연습

① 3, 3, 3, 12 ; 4, 12

② 6, 6, 6, 24 ; 6, 4, 24

③ 덧셈식 $5+5+5+5=20$

　곱셈식 $5 \times 4 = 20$

④ 덧셈식 $4+4+4+4+4+4+4=28$

　곱셈식 $4 \times 7 = 28$

⑤ 덧셈식 $3+3+3=9$

　곱셈식 $3 \times 3 = 9$

⑥ 덧셈식 $6+6+6+6+6+6=36$

　곱셈식 $6 \times 6 = 36$

① 3씩 4묶음이므로 3의 4배입니다.

　$\Rightarrow 3+3+3+3=12 \Rightarrow 3 \times 4 = 12$

② 6씩 4묶음이므로 6의 4배입니다.

　$\Rightarrow 6+6+6+6=24 \Rightarrow 6 \times 4 = 24$

③ 5씩 4묶음 $\Rightarrow 5+5+5+5=20$

　　　　　　$\Rightarrow 5 \times 4 = 20$

④ 4씩 7묶음 $\Rightarrow 4+4+4+4+4+4+4=28$

　　　　　　$\Rightarrow 4 \times 7 = 28$

⑤ 3씩 3묶음 $\Rightarrow 3+3+3=9$

　　　　　　$\Rightarrow 3 \times 3 = 9$

⑥ 6씩 6묶음 $\Rightarrow 6+6+6+6+6+6=36$

　　　　　　$\Rightarrow 6 \times 6 = 36$

155쪽	똑똑한 계산 연습

① 5 ; 3   ② 7 ; 4, 28

③ (위부터) 6, 12 ; 4, 12 ; 3, 12 ; 2, 12

④ (위부터) 9, 18 ; 6, 18 ; 3, 18 ; 2, 18

⑤ (위부터) 8, 24 ; 6, 24 ; 4, 24 ; 3, 24

①

3씩 5묶음 $\Rightarrow 3 \times 5$

5씩 3묶음 $\Rightarrow 5 \times 3$

② 4씩 7묶음 $\Rightarrow 4 \times 7$, 7씩 4묶음 $\Rightarrow 7 \times 4$

③ 2씩 6묶음 $\Rightarrow 2 \times 6$, 3씩 4묶음 $\Rightarrow 3 \times 4$,

　4씩 3묶음 $\Rightarrow 4 \times 3$, 6씩 2묶음 $\Rightarrow 6 \times 2$

④ 2씩 9묶음 $\Rightarrow 2 \times 9$, 3씩 6묶음 $\Rightarrow 3 \times 6$,

　6씩 3묶음 $\Rightarrow 6 \times 3$, 9씩 2묶음 $\Rightarrow 9 \times 2$

⑤ 3씩 8묶음 $\Rightarrow 3 \times 8$, 4씩 6묶음 $\Rightarrow 4 \times 6$,

　6씩 4묶음 $\Rightarrow 6 \times 4$, 8씩 3묶음 $\Rightarrow 8 \times 3$

156~157쪽 **기초 집중 연습**

1-1 덧셈식 $2+2+2+2+2+2=12$
곱셈식 $2×6=12$

1-2 덧셈식 $5+5+5+5+5=25$
곱셈식 $5×5=25$

1-3 덧셈식 $8+8+8+8+8+8=48$
곱셈식 $8×6=48$

1-4 덧셈식 $9+9+9+9=36$
곱셈식 $9×4=36$

2-1 4, 4, 4, 16 ; 4, 4, 16

2-2 5, 5, 5, 20 ; 5, 4, 20

3-1 3, 12 ; 4, 12

3-2 3, 15 ; 5, 15

3-3 5, 10 ; 2, 10

3-4 2, 3, 6 ; 3, 2, 6

4-1 덧셈식 $9+9+9=27$
곱셈식 $9×3=27$

4-2 덧셈식 $6+6+6+6=24$
곱셈식 $6×4=24$

2-2

⇨ 5의 4배
⇨ $\underbrace{5+5+5+5}_{4번}=20$ ⇨ $5×4=20$

4-1 $\underbrace{9+9+9}_{3번}=27$ ⇨ $9×3=27$

4-2 $\underbrace{6+6+6+6}_{4번}=24$ ⇨ $6×4=24$

159쪽 **똑똑한 계산 연습**

① 4, 20   ② 3, 21

③ 4, 32   ④ 4, 36

⑤ 5, 30   ⑥ 6, 42

① 새우가 5마리씩 4줄이므로
$5×4=20$(마리)입니다.

② 새우가 7마리씩 3줄이므로
$7×3=21$(마리)입니다.

③ 새우가 8마리씩 4줄이므로
$8×4=32$(마리)입니다.

④ 새우가 9마리씩 4줄이므로
$9×4=36$(마리)입니다.

161쪽 **똑똑한 계산 연습**

① 15 ; 15   ② 21 ; 21

③ 8, 40 ; 5, 40   ④ 7, 42 ; 6, 42

⑤ 9, 27 ; 3, 27   ⑥ 6, 30 ; 5, 30

①
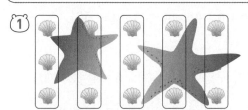
3씩 5묶음 ⇨ $3×5=15$

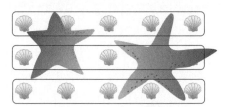
5씩 3묶음 ⇨ $5×3=15$

③
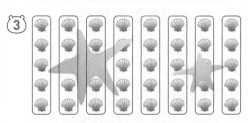
5씩 8묶음 ⇨ $5×8=40$

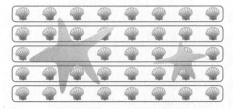
8씩 5묶음 ⇨ $8×5=40$

1-1 예 5, 4, 20   **1-2** 예 9, 5, 45

1-3 예 7, 4, 28   **1-4** 예 8, 4, 32

2-1 9   **2-2** 24

3 (   )(○)(○)

4-1

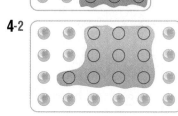

4-2

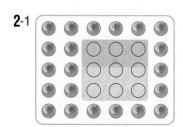

1-1 4씩 5묶음 ⇨ $4 \times 5 = 20$
5씩 4묶음 ⇨ $5 \times 4 = 20$

1-2 5씩 9묶음 ⇨ $5 \times 9 = 45$,
9씩 5묶음 ⇨ $9 \times 5 = 45$

1-3 4씩 7묶음 ⇨ $4 \times 7 = 28$,
7씩 4묶음 ⇨ $7 \times 4 = 28$

1-4 4씩 8묶음 ⇨ $4 \times 8 = 32$,
8씩 4묶음 ⇨ $8 \times 4 = 32$

2-1

가려진 곳의 구슬 수는
$3 + 3 + 3 = 3 \times 3 = 9$(개)입니다.

2-2

가려진 곳의 구슬 수는
$6 + 6 + 6 + 6 = 6 \times 4 = 24$(개)입니다.

3

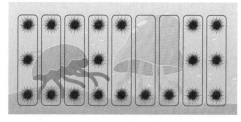

⇨ $3 \times 9 = 27$

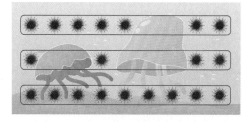

⇨ $9 \times 3 = 27$

❶ 4, 12   ❷ 5, 10

❸ 4, 16   ❹ 4, 20

❺ 7   ❻ 3

❼ 5   ❽ 8

❾ 6   ❿ 8

⓫ $6 \times 5 = 30$ ⓬ $3 \times 9 = 27$

⓭ $4 \times 6 = 24$ ⓮ $5 \times 7 = 35$

⓯ 4, 3, 12   ⓰ 8, 4, 32

⓱ 3, 6, 18   ⓲ 7, 8, 56

⓳ 8, 8, 64   ⓴ 2, 9, 18

❶ 3씩 4묶음 ⇨ $\underset{4번}{\underline{3 + 3 + 3 + 3}} = 12$

❷ 2씩 5묶음 ⇨ $\underset{5번}{\underline{2 + 2 + 2 + 2 + 2}} = 10$

❸ 4씩 4묶음 ⇨ $\underset{4번}{\underline{4 + 4 + 4 + 4}} = 16$

④ 5씩 4묶음 ⇨ $\underset{4번}{5+5+5+5}=20$

⑤ $\underset{7번}{7+7+7+7+7+7+7}=49$

⑥ $\underset{3번}{8+8+8}=24$

⑦ $\underset{5번}{4+4+4+4+4}=20$

⑧ $\underset{8번}{9+9+9+9+9+9+9+9}=72$

⑨ $\underset{6번}{6+6+6+6+6+6}=36$

⑩ $\underset{4번}{8+8+8+8}=32$

⑮ 4의 3배
⇨ $\underset{3번}{4+4+4}=12$
⇨ $4\times3=12$

⑯ 8의 4배
⇨ $\underset{4번}{8+8+8+8}=32$
⇨ $8\times4=32$

⑰ 3의 6배
⇨ $\underset{6번}{3+3+3+3+3+3}=18$
⇨ $3\times6=18$

⑱ 7의 8배
⇨ $\underset{8번}{7+7+7+7+7+7+7+7}=56$
⇨ $7\times8=56$

⑲ 8의 8배
⇨ $\underset{8번}{8+8+8+8+8+8+8+8}=64$
⇨ $8\times8=64$

⑳ 2의 9배
⇨ $\underset{9번}{2+2+2+2+2+2+2+2+2}=18$
⇨ $2\times9=18$

166~171쪽 특강 / 창의·융합·코딩

융합1 12, 16 ; 16

융합2 3, 6 ; 18

융합3 $6+6+6+6+6+6+6+6=48$

융합4 6, 30

융합5 ( )( )(○)( )

융합6 ( )(○)( )

코딩7 18

창의8

출발 →	4의 3배	4×3	3+3+3
	4+3+4	4 곱하기 3	12
	3 곱하기 3	16	4씩 8묶음 → 도착

창의9 8   **창의10** 32

융합3 저탄소 인증 마크가 있는 사과는 빨간색 사과이고, 빨간색 사과는 6개씩 8박스이므로 6의 8배입니다.
⇨ $\underset{8번}{6+6+6+6+6+6+6+6}=48$

융합4 저탄소 인증 마크가 있는 달걀은 5개씩 6줄인 달걀이므로 $\underset{6번}{5+5+5+5+5+5}$ ⇨ $5\times6=30$입니다.

융합5 송편은 모두 20개입니다.
⇨ $4\times5=20$, $5\times4=20$이므로 구입해야 하는 상자는 5씩 4줄이 있는 왼쪽에서 세 번째 상자입니다.

코딩7 수 2를 입력한 후 3 곱하기를 2번 반복합니다.
<1번> $2\times3=6$
<2번> $6\times3=18$

창의8 •4의 3배는 4×3과 같습니다.
•4×3은 4 곱하기 3이라고 읽습니다.
•4씩 3묶음은 4의 3배입니다.

창의9 주차장에 있는 오토바이는 4대이므로
(오토바이의 바퀴 수)$=2\times4=8$(개)입니다.

창의10 주차장에 있는 자동차는 8대이므로
(자동차의 바퀴 수)$=4\times8=32$(개)입니다.

기초 학습능력 강화 프로그램

매일 조금씩 **공부력 UP**

똑똑한 하루
독해&어휘

쉽다!

10분이면 하루치 공부를 마칠 수 있는
커리큘럼으로, 아이들이 쉽고 재미있게
독해&어휘에 접근할 수 있도록 구성

재미있다!

교과서는 물론 생활 속에서 쉽게
접할 수 있는 다양한 소재를 활용해
흥미로운 학습 유도

똑똑하다!

초등학생에게 꼭 필요한 상식과 함께
창의적 사고력 확장을 돕는
게임 형식의 구성으로 독해력&어휘력 학습

공부의 핵심은 독해!
예비초~초6 / 총 6단계, 12권

독해의 시작은 어휘!
예비초~초6 / 총 6단계, 6권

정답은
이안에
있어!

기초 학습능력 강화 프로그램
매일 조금씩 공부력 UP!

하루 독해 하루 어휘 하루 VOCA

하루 수학 하루 계산 하루 도형 하루 사고력

과목	교재 구성	과목	교재 구성
하루 수학	1~6학년 1·2학기 12권	하루 사고력	1~6학년 A·B단계 12권
하루 VOCA	3~6학년 A·B단계 8권	하루 글쓰기	1~6학년 A·B단계 12권
하루 사회	3~6학년 1·2학기 8권	하루 한자	1~6학년 A·B단계 12권
하루 과학	3~6학년 1·2학기 8권	하루 어휘	예비초~6학년 1~6단계 6권
하루 도형	1~6단계 6권	하루 독해	예비초~6학년 A·B단계 12권
하루 계산	1~6학년 A·B단계 12권		

※ 각 교재별 출간 시기는 조금씩 다릅니다.

기초 학습능력 강화 프로그램

2021 신간

사회·과학 기초 **탐구력** UP!

똑똑한 하루

사회·과학

쉬운 용어 학습

교과 용어를 쉽게 설명하여
기억하기도 쉽고,
교과 이해력도 향상!

재밌는 비주얼씽킹

쉽게 익히고 오~래 기억하자!
만화, 삽화, 생생한 사진으로
흥미로운 탐구 학습!

편한 스케줄링

하루 6쪽, 주 5일, 4주
쉽고 재미있게, 지루하지 않게
한 학기 공부습관 완성!

매일매일 꾸준히! 생활 속 탐구 지식부터 교과 개념까지! 초등 3~6학년(사회·과학 각 8권씩)